Le mystère du tig

Maurice Magre

Alpha Editions

This edition published in 2024

ISBN : 9789361472138

Design and Setting By
Alpha Editions
www.alphaedis.com
Email - info@alphaedis.com

Contents

PREMIÈRE PARTIE

LA FUMERIE DE SINGAPOUR

Il y a dans le vieux quartier de Singapour une rue avec deux pentes qui forme la bosse d'un chameau. Au sommet de cette bosse, parmi les maisons lépreuses écrasées les unes contre les autres, s'ouvre une porte grossièrement sculptée dont la partie haute représente un mufle de félin et que l'on appelle à cause de cet emblème, la porte du Tigre.

Une des deux pentes de la rue descend vers un bassin abandonné du port où l'on relègue les sampans hors d'usage et les jonques à demi-mortes. Et à l'endroit où la rue bossuée aboutit au quai étroit, une pierre aiguë surgit du sol, nommée par la population chinoise et malaise, la dent du requin.

En vérité, ce ne pouvait être que dans cette rue où tout était à l'image de l'animal, que moi, le fils de commerçants en bêtes empaillées, devenu le dompteur intrépide de bêtes vivantes, je devais voir s'allonger sur mon âme la première ombre de ma destinée étonnante.

— C'est à la porte du Tigre ! me dit Ali le Macassar, qui connaît aussi parfaitement les hommes de Singapour que les forêts de l'Archipel et qui prétend que les uns sont aussi sauvages que les autres, lorsque je lui demandai de m'indiquer la fumerie d'opium la plus couleur locale de la ville. Dans le quartier pourri qui enveloppe d'une couronne de lèpre l'eau du vieux bassin en décomposition, il n'y avait, d'après Ali le Macassar, qu'un point unique, une seule porte à franchir, la porte du Tigre.

— La fumerie vaut par l'homme qui la tient, ajouta-t-il. Là, il y a un homme.

L'homme était un misérable Chinois obséquieux pareil à tous ceux que je connaissais. Il faillit se rompre en deux pour saluer en voyant des Européens franchir la porte du Tigre.

Oui, moi, je franchis cette porte, je montai un escalier gluant, je me mêlai à la plus abjecte racaille de Singapour pour plaire à un sot, à mon cousin de Goa qui faisait son premier voyage d'affaires dans les îles et voulait, disait-il, s'instruire en toutes choses, comme si un sot de naissance peut jamais s'instruire.

Certes, quand j'eus pénétré dans cette salle basse où l'odeur de l'opium se mêlait à une odeur nauséabonde de sueur humaine, il était encore temps et j'aurais dû obéir à mon instinct — j'aurais dû tomber à coups de cravache sur les Malais et les Chinois étendus ; j'aurais dû les jeter sur la bosse du chameau, j'aurais dû menacer d'une correction semblable mon cousin le sot.

Le risque eût été nul. Personne n'eût osé se mesurer avec moi. Chacun se serait enfui dès qu'il m'aurait reconnu.

Or, on m'avait reconnu. Une voix, à mon entrée, prononça :

— C'est Rafaël Graaf, le fameux dompteur.

Et ce fut la nuance d'admiration que je perçus dans ces syllabes qui atténua ma colère et mon dégoût pour les êtres déchus que j'étais venu voir. Les chuchotements se turent, je surpris sur les têtes des fumeurs étendus, quelques légères inclinaisons, quelques mouvements de paupière marquant la surprise ou le respect et j'allai docilement me coucher sur une natte à côté d'une petite lampe que me désigna le propriétaire du lieu. Car c'est la vanité qui dirige presque toutes nos actions. Puis ces événements devaient se dérouler, ces personnages devaient apparaître.

Il arrive, lorsqu'on lit un livre, qu'on trouve le sujet résumé dans quelques lignes au début de l'ouvrage, avec l'indication du mystère qui occupera l'esprit pendant toute la lecture. De même le hasard place très souvent au commencement de la vie une scène synthétique où sont réunis les personnages qui doivent vous influencer par la suite et où se pose l'énigme qui vous fera vivre et mourir. Le sot n'était qu'un instrument, la porte du Tigre n'était que le seuil du chemin, car il fallait que le but fût atteint.

— Est-ce que vous savez que ce sont des moines Bouddhistes qui ont porté les premiers l'opium en Chine ?

— Je l'ignorais.

— Un traité de morale dont la traduction remonte à la dynastie des Tang l'affirme. Ce même traité attribue au Bouddha lui-même l'invention de la pipe et la méthode pour préparer le suc du pavot.

J'éclatai ostensiblement de rire en entendant ces paroles stupides murmurées non loin de moi et comme celui qui avait parlé ne semblait pas s'apercevoir de ma gaîté, je soufflai encore avec bruit et mis sur mon visage une expression de hautain mépris.

Cet homme n'avait jeté sur moi qu'un seul regard clair et profond où il n'y avait ni curiosité ni respect et il s'était remis à rouler avec un soin minutieux une boulette brune comme si ma présence non loin de lui n'avait aucune importance.

La vague clarté de la lampe auprès de laquelle il se trouvait me permettait de voir ses traits. Il n'était ni Chinois, ni Malais. Peut-être Hindou. Il s'exprimait en anglais avec un léger accent et un chantonnement dans la voix. Je trouvai à la réflexion qu'il avait le type mongol et j'eus envie de lui chercher quelque mauvaise querelle, d'allonger le pied et de l'en frapper, ou de lancer mon chapeau sur sa lampe afin de la culbuter.

Mais, à ce moment, mon attention fut distraite. J'eus la sensation qu'il y avait un visage de femme européenne qui se dressait parfois au fond de la salle. Je crus entrevoir de grands yeux clairs remplis d'une allégresse de curiosité et la ligne délicate d'un cou ambré. Une femme européenne dans ce bouge, était-ce possible ?

L'homme continuait à parler sans s'occuper de moi et je l'entendis qui disait :

— Les hommes sont d'autant plus malheureux qu'ils éprouvent plus de haine, d'autant plus heureux qu'ils aiment davantage.

Et, répondant à une parole du personnage qui était en face de lui et que je n'avais pas entendue, il ajouta :

— Oui, développer en soi l'amour ! Mais c'est difficile. L'opium qui est l'esprit du règne végétal peut nous y aider. Il y a d'autres plantes et d'autres secrets et les hommes les ignorent. De même, qu'il y a plusieurs qualités de pensées, il y a des sucs d'herbes et des racines avec des propriétés différentes.

Au Mexique, sur la moisissure des pierres, croît la plante peyotl qui donne la clairvoyance de l'avenir. Dans les forêts du Siam, et là seulement, on peut trouver une graminée rougeâtre qui procure un état de transe et aide au dédoublement de l'âme et du corps. Par l'opium, absorbé avec mesure, l'homme est mis sur la voie où il découvre sa parenté avec l'espèce animale. Et il y a aussi les crissements de certains insectes, les chants de certains oiseaux, comme le rohi-rohi, dans lesquels, si nous savions écouter, nous pourrions trouver des enseignements, des moyens de nous développer.

Mon cousin ne fumait pas pour la première fois. Je le vis à l'habileté avec laquelle il roulait régulièrement en cônes les boulettes d'opium et à la satisfaction qu'il laissait éclater sur son visage en lançant au plafond de grandes bouffées de fumée.

Il me tendit une pipe. J'eus un haussement d'épaules pour exprimer que l'opium ne pourrait exercer aucune action sur mon robuste tempérament. Mais alors il sourit avec malice et je pensai qu'il supposait intérieurement que je craignais un effet quelconque de la drogue sur la netteté de mes idées. Je me hâtai de fumer la pipe qu'il me tendait. Mes aspirations furent maladroites et le sourire de mon cousin resta malicieux.

Or, rien n'est irritant comme le sourire d'un sot.

Je voulus montrer qu'un homme de ma trempe n'est pas modifié par une absorption quelconque et j'invitai mon cousin à me préparer quelques pipes successives que j'aspirai d'une seule bouffée et dont je n'éprouvai ni plaisir ni déplaisir.

— J'aime mieux la chasse à l'éléphant dans les forêts de Bornéo, dis-je.

Je revenais d'un voyage de chasses à Célèbes et à Bornéo et j'étais passé maître dans l'art d'approcher l'éléphant et de le tirer à quelques pas.

— Plus l'animal est intelligent et plus il est agréable de le tuer, ajoutai-je.

Ce fut seulement parce que ma bouche était sèche que je ne crachai pas dans la direction du Mongol, dont j'avais senti le regard clair posé sur moi. Je me contentai de me gratter avec force et d'enrouler ma veste d'alpaga autour de moi pour bien montrer que je redoutais la vermine qui devait grouiller sur le corps de mes voisins.

Mon cousin ne s'intéressait vraiment qu'aux diverses variétés d'écailles dont son père faisait commerce à Goa. Je lui énumérai, malgré cela, un grand nombre de mes exploits cynégétiques, étant soudain saisi d'une envie de récits, d'un désir d'être écouté avec admiration en retraçant des aventures dangereuses.

Le temps passa. Je parlais exprès assez haut pour troubler la tranquillité des autres fumeurs. Quelques-uns se levèrent et sortirent sans cependant oser laisser voir leur mécontentement. La femme européenne que j'avais cru apercevoir dans l'obscurité, apparut de nouveau, ayant sur son visage la même expression de gaîté et de curiosité. Je faillis plusieurs fois l'interpeller en la priant de venir s'étendre à côté de moi pour me montrer comment elle était faite. Mais les idées se pressaient avec abondance dans mon cerveau et je continuai à parler pour mon cousin qui ne m'écoutait pas.

La notion de l'heure disparut en moi et toute la nuit coula comme un instant, sous le plafond bas, avec l'odeur épaisse de l'opium, l'odeur des hommes, et ce je ne sais quoi de poivré, de pourri et de printanier qui, par la fenêtre entr'ouverte, venait du port.

De ce personnage dont les traits calmes m'étaient insupportables, je n'entendis plus qu'une phrase et qui me parut sans importance :

La vieille loi de Manou dit :

Celui qui a tué un chat, un geai bleu, une mangouste ou un lézard doit se retirer au milieu de la forêt et se consacrer à la vie des bêtes jusqu'à ce qu'il soit purifié.

Je ne savais pas ce que c'était que la vieille loi de Manou et d'ailleurs il importait peu.

Mon âme était paisible, il y nageait seulement, comme une barque sur un lac, la nécessité d'offenser ce fumeur à figure de mongol.

Or, comme l'air commençait à blanchir par l'approche du matin, un lézard, un de ces lézards familiers qui hantent les habitations des hommes, glissa parmi les formes étendues, lentement et sans frayeur. Il me frôla, puis s'éloigna et je le vis qui tournait autour du haïssable fumeur.

Mais alors mes oreilles furent choquées par un imperceptible sifflement. Ce sifflement partait des lèvres de l'homme, et le lézard, en l'entendant, sans être ébloui par la clarté de la lampe, se rapprocha de lui et je vis même une main effilée, une main aux doigts trop longs, dont la forme m'était singulièrement répugnante, caresser avec une sorte d'amour, la tête du lézard.

La bête charmée fit encore deux ou trois tours, revint se faire caresser, repartit.

Comme un ressort mon pied se détendit. Il y eut un léger craquement. La queue du lézard écrasé fit encore deux ou trois sauts et j'éprouvai la plénitude que donne une action nécessaire que l'on vient d'accomplir.

Je dus fermer les paupières durant quelques secondes. Quand je les rouvris, il y avait non loin de moi une lampe entre deux nattes vides. Le corps du lézard n'était plus au bout de mon talon. Quelqu'un avait emporté le petit cadavre.

Je me mis à ricaner :

— Cet imbécile l'a peut-être pris pour l'enterrer.

Je secouai mon cousin. Il sortit derrière moi en chancelant. J'eus la sensation d'un rire clair comme un égrènement de perles qui résonnait dans l'ombre et je crus encore en franchissant la porte, voir, sous un sarong malais, le buste d'une femme qui se soulevait. Mais il était trop tard pour m'en occuper. Je désirais surtout respirer l'air pur.

Dehors, la fraîcheur était exquise. Une grande voile déchirée claquait au bas de la bosse du chameau. On entendait au loin, dans les ruelles, les cris des premiers marchands d'agar-agar. Je m'étirai. J'aurais voulu me battre avec quelqu'un. Je cinglai l'air avec ma cravache. Un homme doit toujours avoir une cravache avec lui. L'opium ne m'avait décidément fait aucun effet. Comme j'étais fort ! Quelle joie j'avais à vivre !

LE COBRA ET LE CRAPAUD

Toujours j'ai passionnément aimé faire souffrir les bêtes. Petit, j'arrachais les ailes des mouches et je les faisais défiler sur le sable de la vérandah où je jouais. A dix ans, je m'étais fabriqué un arc avec des flèches aiguës en bois de sandal dont je criblais les bœufs et les chiens qui s'enfuyaient à ma vue, comme à la vue d'un monstre redoutable.

En ce temps-là, l'île de Singapour n'était pas encore entièrement défrichée comme aujourd'hui, et la forêt y luttait avec les cottages hâtivement construits, les carrés de terre labourée. C'était sur les confins des plantations qu'avec quelques gamins de mon âge j'allais assouvir ma soif de mort animale. Très vite j'avais été habile à tirer de l'arc. Mais c'est quand mon père me fit cadeau d'un fusil Devisme que commencèrent mes véritables exploits.

Je venais d'obtenir un prix d'instruction religieuse et le pasteur qui venait parfois dîner chez nous avait déclaré que si j'étais ignare en toutes choses, j'avais la connaissance innée de Dieu, ce qui est l'essentiel. Car j'eus, dès mon jeune âge, un mépris profond pour les livres et ceux qui les lisent, mépris que j'ai gardé en avançant dans la vie.

L'expérience m'a enseigné qu'il n'y a d'hommes intelligents et utiles que ceux qui sont rebelles à l'instruction et tournent toutes leurs facultés vers l'action.

Je me flatte d'avoir jeté aux ordures, à part une Bible que je n'ai d'ailleurs jamais ouverte, les quelques ouvrages anglais et portugais qui traînaient dans notre maison. Ne jamais rien lire ! Quelle force puissante pour le caractère ! J'empêchais mes employés d'aller chercher « le Courrier de Malacca » quand il arrivait le dimanche, et pour ma part, je me faisais raconter, oralement, les événements historiques, notamment, la révolte des Cipayes de 1857, pour ne pas risquer d'être influencé moi-même par la stupidité de ceux qui écrivent.

Le fusil Devisme fit merveille. Je tirais les oiseaux au vol et je cassais à cent pas la tête des serpents. Je reçus les enseignements des meilleurs chasseurs de Singapour qui ne connaissaient rien à la chasse, je m'en aperçus plus tard — et à quinze ans je me mettais à l'affût avec eux pour ma première chasse au tigre.

Je peux dire que je suis un des hommes les plus courageux de tous ceux qu'il m'a été donné de connaître. On reconnaît un homme courageux à la capacité qu'il a d'avouer les peurs qu'il a éprouvées. J'ai eu peur, certes, mais je l'ai dit, je l'ai dit hautement, sinon aux autres, ce qui m'aurait nui, du moins à moi-même, ce qui est l'important. Par cette connaissance de ma propre peur, je suis devenu courageux et j'ai accompli les exploits qui m'ont rendu célèbre de Bornéo jusqu'aux côtes de Coromandel et même plus loin.

C'était le moment où les tigres commençaient à diminuer dans l'île de Singapour. Le Résident organisait perpétuellement des chasses et comme il était l'ami de mon père, j'y étais convié et j'en devins même l'acteur principal. Je me souviens que lorsque le navire de guerre français l'*Amazone* fit escale dans le port, il fut convenu, durant un dîner, que chaque officier tirerait son tigre et que ce serait moi, malgré ma jeunesse, qui réglerais toutes ces chasses.

Tout cela n'a aucune importance et je ne le dis que pour mémoire et afin de faire connaître mon extraordinaire précocité de tueur d'animaux sauvages. Je me hâte d'ajouter que les officiers français quittèrent Singapour sans avoir pu tirer un coup de fusil et que ce ne fut qu'un an plus tard qu'il me fut donné de tuer mon premier tigre. Car ces créatures ont un si prodigieux pouvoir de se dissimuler, que même dans les lieux où elles abondent, comme Malacca et Java, on peut les chasser très longtemps, sans jamais les rencontrer, quitte à se trouver, un soir, face à face avec elles, au moment où l'on s'y attend le moins. Mais je dirai, ailleurs, les mœurs de ces êtres mystérieux et féroces et quel enseignement je tirai de cette connaissance.

Les premiers tigres que je vis étaient empaillés, dans les magasins de mon père. Il y en avait de toutes tailles et de toutes provenances. Il y avait les tigres noirs de l'Himalaya que l'on appelle noirs, bien qu'ils soient plus jaunes que les autres, parce qu'ils sont censés être les incarnations d'une sorte de déesse hindoue qui, elle, est noire et que l'on appelle, je crois, Kali.

Il y avait ceux du Bengale qui ont sur la queue quinze anneaux noirs, exactement, sur fond blanchâtre, et ceux de la Mongolie qui ont douze anneaux noirs exactement, sur fond jaunâtre.

Il y avait ceux du Siam qui ont la gueule allongée, ceux de Malacca qui sont gigantesques et ceux qui viennent de Zanzibar et qui sont ridiculement petits parce que ce ne sont pas des tigres, mais de simples panthères déguisées en tigres.

Il y avait aussi toutes sortes d'animaux sauvages, des crocodiles, des serpents, des lions de Perse, des hyènes, parfois un fourmilier, et toutes les variétés d'oiseaux de proie de l'Asie. Ils occupaient une immense galerie vitrée adossée à notre habitation et qui donnait sur les jardins.

Je regardais souvent leurs silhouettes quand je jouais et je me souviens qu'une force intérieure m'obligeait à me glisser dans la galerie pour arracher une plume de ci de là, piquer un mufle avec un bâton pointu, tirer une oreille, injurier l'ennemi impuissant.

Le propriétaire d'une ménagerie qui devait de l'argent à mon père, mourut insolvable, et celui-ci hérita de ses animaux et de son matériel.

Pendant que dura la procédure, il dépensa pour la nourriture des fauves et d'un jeune éléphant savant beaucoup plus d'argent que la valeur de sa créance. Le désir de retrouver les sommes avancées lui donna l'idée d'adjoindre à son commerce de peaux et de bêtes empaillées un commerce de bêtes vivantes. Le commencement de sa grande fortune date de là. Il fit installer dans ses immenses jardins qui s'étendaient en bordure du quartier chinois une série de cages devant lesquelles, deux fois par an, quand arrivaient les bateaux de Macao et de Shanghaï, défilaient les grands marchands chinois fournisseurs des ménageries de la Chine. Car ce peuple qui semble au premier abord purement commerçant et borné dans ses conceptions a une curiosité extraordinaire pour toutes les espèces animales et je crois que les collections zoologiques les plus curieuses de l'univers se trouvent chez certains riches Mandarins de Canton et de Pékin. Je note en passant que les plus grands succès que j'ai obtenus dans mes exhibitions d'animaux sauvages furent dans ces dernières villes et cela a contribué grandement à me prouver l'intelligence des Chinois que j'avais d'abord méconnus.

Il fallut bientôt transformer complètement les jardins. Outre les cages, il y eut des volières, des cahutes, des gourbis, des fosses, des hangars, des étables, des écuries, des habitations sur pilotis dans un étang artificiel, des bassins entourés de treillis pour les sauriens. On construisit une sorte de ville, avec ses rues et ses remparts, ses perchoirs et ses colombiers où les habitations étaient aménagées selon le caractère et les mœurs des différents habitants, mammifères, pachydermes, solipèdes, plantigrades, bimanes, ruminants, herbivores et carnassiers.

C'est peu après ces transformations que se placent les événements terribles qui contribuèrent à augmenter ma haine pour ces bêtes dont la vie et la mort m'enrichissaient.

Ma mère était une sainte. Toutes les mères sont des saintes en principe, mais je crois que ma mère l'était plus que les autres. Elle était Portugaise aussi et s'était fait enlever très jeune par un capitaine au long cours. Ce capitaine, un certain Pinto qui lui donnait les marques du plus vif amour l'installa à Singapour dans une ravissante villa du quartier anglais et s'en alla faire certaines livraisons de cargaisons à Batavia et à Madras. Il ne revint jamais et jamais ma mère n'en entendit parler. Au bout d'une année, désespérée et sans argent, elle se demandait ce qu'elle allait devenir, quand elle rencontra mon père et l'épousa. Elle connut avec lui un bonheur parfait, mais elle ne put jamais se défendre d'une admiration naïve pour ce Pinto si mystérieusement disparu. Elle me raconta souvent des histoires pleines de fantaisie qu'elle tenait de lui et à son insu elle me communiqua son admiration.

Quand je fus plus grand et que je fus en état de comprendre les choses, mon admiration se changea en colère pour le séducteur qui avait osé prendre une jeune fille à Lisbonne et la déposer à Singapour, sans plus se soucier d'elle. J'aurais voulu le rencontrer et lui dire son fait. Mais ma mère, dans la pureté de son âme angélique, ne lui conservait aucune rancune.

La sainteté de ma mère s'exprimait physiquement par une facilité extrême à rougir. Elle avait conservé un teint de peau extrêmement clair qui se colorait en rose si on lui adressait la parole un peu brusquement.

Cette facilité à rougir ne contribua pas peu à augmenter le grand amour filial que je portais à ma mère. J'ai toujours considéré cette particularité sanguine comme le signe extérieur d'une noble élévation de sentiments, ce qui distingue l'élite vraie. Ce signe est, du reste, bien gênant pour celui qui le porte. Je l'ai reçu de ma mère, et malgré la trempe puissante de mon âme, malgré les soleils asiatiques qui ont brûlé ma peau, il suffit souvent d'une parole inattendue pour faire monter le sang à mon visage.

Ma mère, dans sa sainteté, souffrait de ne pas assez participer aux charges du métier de son mari. Elle voulut jouer un rôle dans l'éducation des animaux, et c'est ce qui la perdit, car on est perdu par sa vertu avec autant de sûreté que par sa folie.

Un Malais nous ayant apporté un crapaud de dimensions inusitées, qui venait de l'île Komodo, celle où l'on trouve toutes les espèces monstrueuses, ma mère, dans sa bonté, se mit en tête de l'apprivoiser.

Comme l'on fait d'ordinaire, elle commença par l'affamer et elle l'enferma dans un vase étroit et long. J'avais toujours entendu parler d'une sorte de projection haineuse qui part des yeux des crapauds dans certains cas, mais je n'y avais pas cru. Ma mère en fut la victime. Elle alla voir, au bout de trois jours, ce que devenait le crapaud au fond de son vase étroit. Ni mon père, ni moi, n'étions là. C'est une jeune servante malaise qui raconta ce qui était arrivé.

A peine ma mère s'était-elle penchée sur le vase que son visage si pur refléta une expression d'horreur indicible. Tout son corps se mit à trembler. Elle regardait fixement le crapaud comme si elle ne pouvait détacher ses yeux de lui. La jeune Malaise accourut et fut obligée de la tirer de toutes ses forces par derrière pour l'arracher à sa contemplation. Elle mourut quelques minutes après sans avoir pu prononcer une parole.

Il est à noter que des singes gibbons, qui remplissaient une cage voisine, se mirent à jacasser de façon effroyable et à regarder avidement dans l'espace comme s'il y avait un spectacle invisible.

Il est à noter aussi que le crapaud mourut en même temps que ma mère.

Notre désespoir fut immense. Ni mon père, ni moi, nous ne crûmes d'abord que le crapaud pouvait être pour quelque chose dans cette mort inexplicable. Mais M. Muhcin, vieux marchand bouddhiste, d'une honnêteté légendaire à Singapour, et d'une sagesse reconnue, qui fréquentait notre maison, nous affirma que les crapauds, quand ils ont atteint un point de fureur extrême peuvent transmettre la mort par le regard, surtout quand il s'agit d'une créature délicate et sans défense comme ma mère.

Pas tous les crapauds, ajouta-t-il. Car il y a des hiérarchies chez les animaux comme chez les hommes. Il y a ceux qui commandent, ceux qui obéissent, ceux qui ont pénétré certains secrets de la nature et ceux qui les ignorent.

Et il se lança dans une théorie que je trouvai absurde à ce moment-là et qui concluait presque à glorifier le crapaud meurtrier. Je restai seulement convaincu qu'il y a dans la nature des choses occultes qui dépassent le cerveau de l'homme et auxquelles il vaut mieux ne pas penser.

Ma mère était catholique et mon père était protestant en sorte que nous recevions également le pasteur, les jésuites français de la mission de Bukit-Timah et aussi des Bouddhistes pieux qui sont l'élite de la société malaise.

On ignore, en général, la situation qu'on occupe réellement dans le monde. L'enterrement de ma mère me révéla la mienne et la pureté de ma douleur fut altérée par une satisfaction d'amour-propre immense.

Tout Singapour assista en masse à cet enterrement. Le Résident général se tenait à nos côtés avec la plupart des officiers. J'éclatai en sanglots quand je vis défiler le capitaine Mac-Nair, le directeur de la colonie pénitentiaire, suivi d'une délégation de forçats Malabariens et Lascars en uniformes neufs.

Ainsi le mal s'accompagne de bien et je me rappelle qu'en revenant du cimetière européen, derrière la pointe de la Batterie, je m'attendrissais sur mon importance et celle de ma propre famille.

Les facultés de mon père baissèrent avec une extrême rapidité. Il se mit à lire et ce fut l'origine de sa décadence. On est perdu par sa folie aussi sûrement que par sa vertu. Non content de voir le pasteur, il se mit à fréquenter assidûment les jésuites et certains prêtres catholiques. Je crois même qu'il eut des entretiens, au sujet de je ne sais quelles théories religieuses, avec des Mahométans et des Parsis.

Nous eûmes des froissements. Ce fut le moment où je pris connaissance de ma puissance de dompteur, où je commençai à faire ramper les fauves avec la fixité de mon regard et le sifflement de ma cravache. Il s'y mêlait une pensée de vengeance. Le fils de celle qui avait succombé à l'influence maligne d'un crapaud vaincrait par sa volonté les animaux les plus redoutables de la création. Cette pensée de vengeance ne fit que s'accroître quand mourut mon père.

Il lisait trop. Troublé par ses lectures, moralement débilité par elles, il se laissa mordre par un cobra. La fatalité voulut que l'on ne pût trouver ni la plante guaco, ni la graisse de Naja qui sont les antidotes du venin des cobras.

En quelques heures, mon père, qui était un Hollandais pur sang, avait pris un teint jaune plombé qui le rendait pareil à un Malais de vieille race. Rien ne peut être plus douloureux pour un fils que de voir son père changer brusquement d'origine à l'heure de la mort.

Le faste de l'enterrement ne m'apporta aucune consolation. Je savais qui j'étais.

Mon caractère changea. Je jetai à la porte quand ils se présentèrent : le pasteur, à cause de ses citations de livres, les jésuites, à cause de leur politesse exagérée, les bouddhistes, à cause de leur respect de la vie des bêtes. Je résolus de vivre avec des hommes. Il y a peu d'hommes. C'est à ce moment qu'Ali le Macassar entra chez moi, comme employé et devint mon compagnon. Je ne quittai plus ma cravache. Même la nuit, elle était à portée de ma main.

Mais tout ce que je viens de dire de la mort de mes parents n'est rien. Le duel n'était pas engagé. Le vrai mystère ne m'enveloppait pas encore. Ce n'est qu'un an plus tard que je devais rencontrer le Tigre. Je ne parle pas de ceux dont ma ménagerie était pleine, mais de l'unique, du mien, de celui qui était, par rapport à ses pareils, ce que j'étais moi-même aux hommes, un maître.

LA JEUNE FILLE A L'ÉCHELLE

Je n'ai jamais été l'amant d'Eva. Je n'ai jamais eu la seule femme que j'ai vraiment aimée. Pourquoi se refusa-t-elle à moi avec cette obstination insensée, c'est ce que je ne suis jamais arrivé à comprendre. Était-ce par respect du sacrement du mariage qui devait nous réunir ? Je ne le crois pas. Était-ce par vertu naturelle ? Peut-être tout ce qu'il me fut donné d'apprendre par la suite sur ses caprices insensés ne fut qu'une suite de calomnies inventées pour ternir une vie immaculée. Était-ce par amour pour moi ? C'est bien possible et il faut toujours croire l'hypothèse la plus favorable.

Peu de temps après la soirée que j'avais passée avec mon cousin de Goa dans la fumerie d'opium de Singapour, je partis pour Batavia. Ali le Macassar m'accompagnait. Nous allions prendre livraison d'un couple de panthères et faire achat d'une collection de ces poissons aveugles qui vivent dans les lacs souterrains de Java et que les éruptions volcaniques font, dans certains cas très rares, apparaître à la lumière.

J'estime qu'il est toujours sage de ne pas faire étalage de richesses et une de mes plus grandes joies, quand je quitte Singapour, est de ne plus sentir autour de moi cette atmosphère de curiosité que donne la célébrité.

Au lieu de descendre dans le quartier européen, à l'hôtel des Indes où la table d'hôte réunit le soir les hauts fonctionnaires hollandais et les étrangers de marque, je suivis Ali le Macassar, au sortir du bateau, après les formalités de la douane, dans le vieux Batavia et je pris une chambre non loin du port, dans une pension d'assez minable aspect. Je prétends qu'un homme peut être bien en n'importe quel endroit du monde s'il transporte avec lui une couverture propre et une moustiquaire sans trou, avec sa cravache, bien entendu, pour le défendre.

Ma chambre était à un premier étage assez élevé qui donnait sur une cour d'où montait une haleine fétide provenant d'un amoncellement de détritus décomposés par l'extrême chaleur. Un coolie malais venait à peine de déposer ma valise dans la chambre, quand, incommodé par le caractère immonde de l'odeur, je m'approchai de la fenêtre pour la fermer.

A cet instant, un parfum délicat, subtil, féminin, une émanation de chevelure et de soie embaumée s'éleva jusqu'à moi, remplaçant l'odeur immonde. Surpris, j'ouvris la fenêtre et je me penchai.

Il y avait une échelle contre le mur et d'une fenêtre voisine une jeune fille venait de sortir et descendait légèrement les degrés. C'était une Européenne qui semblait vêtue avec élégance. Je remarquai le châle chinois aux broderies éclatantes qui s'enroulait autour de son corps en le dessinant, une torsade de cheveux noirs noués négligemment, et une main d'une petitesse extrême qui tenait le barreau de l'échelle.

Au bruit que je fis, elle leva la tête. J'aperçus un visage d'une perfection extraordinaire, un visage un peu enfantin et ingénu avec d'immenses yeux de flamme à la fois purs et terribles. Il y eut sur ce visage une expression de surprise, d'allégresse aussi, je crois, puis une gaîté y parut. J'entendis un éclat de rire, lancé comme un bouquet de fleurs de cristal dans la répugnante cour et la jeune fille disparut.

Je refermai la fenêtre et je méditai sur l'extraordinaire présence d'une jeune fille de cette qualité dans le bouge pour Chinois moyens et maîtres d'équipage en congé où je me trouvais. Pourquoi cette jeune fille descendait-elle par une échelle au lieu de prendre l'escalier ? Fuyait-elle un danger malgré son allure paisible ? Me connaissait-elle ?

La beauté de ses traits m'avait causé une profonde impression. Les yeux fixés sur la fenêtre, je demeurai immobile assez longtemps. Tout d'un coup je perçus le bruit de ma porte qu'on ouvrait. Je crus que c'était Ali le Macassar et je ne bougeai pas. J'eus une sensation de froid dans le cou à côté de l'oreille.

Je pensai tout de suite à la chute d'un de ces odieux lézards de maison tombé du plafond sur mon épaule. Je fis un mouvement et je vis qu'il y avait, non un lézard, mais le canon d'un revolver qui m'effleurait. Un homme inconnu était entré et tenait ce revolver à la hauteur de ma tête.

Cet homme n'était pas jeune. Il portait une barbe et je vis au tremblement de sa main et à ses yeux exorbités qu'il était complètement hors de lui.

La possibilité d'être frappé tout à coup par la mort m'a toujours donné dans le danger la singulière sensation du vide absolu, de la suppression de toute matière autour de moi.

— Je viens chercher Eva, me cria l'homme du fond d'un espace illimité.

Et comme il agitait son revolver, je remarquai qu'il était maigre et extrêmement velu.

— Eva ! appela-t-il encore.

Brusquement il se baissa et regarda sous le lit.

— Je ne sais pas de qui vous voulez parler, dis-je en regrettant de ne pas avoir profité de cette seconde d'inattention pour bondir sur lui et le désarmer.

— Vous avez rougi, reprit-il, vous savez où elle est, mais je la retrouverai.

Effectivement j'avais rougi, ayant reçu de ma mère ce signe d'une sensibilité supérieure.

J'allais protester contre le caractère insensé de ses questions et de ses menaces, lorsque les murs se rapprochèrent brusquement autour de moi, la matière avec ses qualités compactes m'environna de nouveau. Le danger venait de disparaître en même temps que le revolver et que l'homme.

J'entendis le bruit d'une clef qu'on tournait. Alors mon indignation éclata. Je me précipitai sur la porte et la secouai en vain. L'inconnu m'avait enfermé et venait d'emporter la clef.

Je rouvris la fenêtre et d'une voix retentissante j'appelai Ali le Macassar qui devait occuper une chambre à quelque distance de la mienne. Il y était heureusement encore. Sa silhouette taciturne s'encadra dans la tristesse du mur et cette vue me calma.

Ali était une épaisse brute aux actions mesurées et à la compréhension difficile. Il avait une grande admiration pour moi et son dévouement m'était assuré. Il agissait avec lenteur et supportait sans peine les injures qui lui étaient adressées personnellement. Mais il ne fallait pas que moi, son maître, je fusse mis en cause en sa présence, car il tombait alors dans des colères insensées et accomplissait des actions d'une violence inouïe. Cette perte de la raison dans la colère est du reste une curieuse particularité de presque tous les habitants de l'île de Macassar.

Je me représentai en une seconde le drame qui pouvait se dérouler dans l'hôtel si Ali furieux se mettait en tête de venger son maître prisonnier. Je me mis à rire en le voyant et comme s'il s'agissait d'une plaisanterie, je le priai de descendre et d'appliquer l'échelle contre ma fenêtre en lui disant que c'était par ce moyen que je voulais sortir. Il ne trouva là rien de saugrenu et il disparut.

Mais il y eut, au même instant, un cri terrible dans la cour. Je vis l'homme maigre apparaître, saisir l'échelle et la briser d'un seul coup sous son pied avec une vigueur qui faillit me faire crier bravo ! Ali devait descendre l'escalier pendant ce temps et les deux hommes allaient, à coup sûr, en venir aux mains sans qu'il me fût possible de faire quoi que ce soit.

Je songeai sérieusement à sauter au risque de me briser un membre. Ma porte se rouvrit avec fracas et l'insensé se précipita à nouveau dans ma chambre. Il avait toujours son revolver à la main, mais comme il ne le braquait pas sur moi et que la situation était moins dangereuse, je cherchai l'occasion de le saisir à bras-le-corps. Derrière lui, surgit Ali qui, ayant vu l'échelle brisée, venait demander mes ordres.

Je compris que la sagesse était dans l'observance d'un calme parfait et que tout, même une humiliation, valait mieux que la perte de raison d'Ali.

— Laisse-nous, dis-je avec douceur. Monsieur est venu me faire une visite et j'ai à causer avec lui.

Ali referma la porte. Il y eut le bruit métallique du revolver sur le plancher. L'homme s'était laissé tomber sur un siège et il pleurait abondamment. Les larmes coulaient dans sa barbe qui, je le remarquai alors, devait être grisonnante mais avait été teinte en un noir trop vif.

— Elle s'est enfuie par l'échelle, balbutia-t-il. Je vous demande pardon, monsieur. Mais je vous en supplie, laissez-la moi. Je ne peux pas vivre sans elle.

— J'ai vu, en effet, une jeune fille, répondis-je, descendre tout à l'heure d'une manière inusitée. Mais je vous donne ma parole d'honneur que je ne la connais pas et que je ne suis pour rien dans son départ.

Ce qu'il y a de plus émouvant dans les larmes c'est que celui qui les répand a subitement envie de se moucher et que cela lui fait faire une grimace pitoyable. L'homme que j'avais devant moi était un malheureux qui ne m'inspirait que du mépris.

Je le mis à son aise en lui renouvelant l'assurance que la créature que j'avais aperçue sur l'échelle m'était parfaitement inconnue.

— Et c'est bien dommage ! pensai-je en faisant hypocritement un geste qui signifiait que je n'attachais aucune importance aux femmes, en général.

Alors il me raconta qu'il s'agissait d'une noble jeune fille hollandaise qu'il avait séduite. Naturellement, la discrétion la plus élémentaire l'empêchait de me dire son nom.

Cette jeune fille s'était rendue à Singapour pour les affaires de son père. Quand elle était revenue, elle était changée à son égard. Elle parlait sans cesse de Rafaël, dompteur et propriétaire d'un grand magasin d'animaux, qu'elle avait vu là-bas.

— Les femmes, ajouta-t-il, en me fixant de ses yeux gris, comme pour me faire avouer la vérité, travestissent souvent les choses pour vous rendre jaloux. Vous avez passé une nuit près d'elle, dans une réunion... peut-être une fumerie d'opium...

Je riais intérieurement de l'audace de ce malheureux homme qui voulait lutter par le regard avec moi. Lutter avec l'œil du dompteur!

Mais alors, au fond de ma mémoire, surgit brusquement un souvenir. Une fumerie d'opium!

Je revis la bosse du chameau et la porte du Tigre que j'avais passée un soir en compagnie de mon cousin de Goa.

A travers les formes couchées auprès des petites lampes, j'avais distingué confusément un visage de femme. La jeune fille à l'échelle avait franchi avant moi la vieille porte en bois sculpté, et elle m'avait vu dans ce lieu vil, parmi les nuages de la fumée détestable. Elle était là, dans quelle compagnie et pourquoi?

Je l'ignorais. Et à partir de ce moment, la créature qui s'appelait Eva, la délicieuse jeune fille au châle chinois, fut indissolublement liée dans mon esprit à une idée de tigre, de tigre sculpté dans une porte. Mais ceci n'était qu'un commencement, car elle devait être liée à tout jamais à une idée de tigre vivant, de tigre javanais et de quel tigre!

J'allais rougir. J'allais me trahir. Je me détournai et j'affirmai avec force qu'il y avait quelque méprise ou peut-être une de ces inventions habituelles aux femmes pour éveiller la jalousie, hypothèse que mon interlocuteur venait du reste de formuler lui-même.

Il me crut, il se leva et passa à plusieurs reprises sa main dans sa barbe qui était mouillée. Il me renouvela ses excuses. C'était la vue de l'échelle qui avait éclairé son esprit.

En constatant la disparition d'Eva, qu'il avait, une heure avant, laissée dans sa chambre, il était descendu précipitamment pour questionner l'hôtelier. Celui-ci ne put le renseigner, mais lui apprit, en s'en glorifiant, l'arrivée de Rafaël, le fameux dompteur de Singapour. L'hôtelier avait dit

Rafaël tout court, car on nomme volontiers les hommes célèbres par leur petit nom seulement. Il pensa que cette arrivée, qui coïncidait avec le brusque départ de la jeune fille, ne pouvait être fortuite. Il se dit que j'étais venu la lui prendre et il m'assura qu'il était décidé à nous donner la mort à tous deux et à se tuer après.

Je me contentai de sourire. La pitié triomphait en moi.

Ce pauvre homme maigre, qui était d'origine italienne et qui s'appelait Giovanni, me fit un résumé naïf de sa vie qui n'avait pour moi aucun intérêt. Il était second de navire et ce titre lui paraissait très important. C'était son amour qui le retenait à Batavia et qui lui avait fait refuser plusieurs offres brillantes d'armateurs.

Il ajouta que les femmes avaient toujours joué le rôle principal dans sa vie et alors il se mit à se caresser la moustache et à la relever d'une façon complètement ridicule.

Il avait l'air fort pauvre. L'hôtel où il était descendu en était la preuve et cette preuve se complétait par l'aspect de ses souliers qui avaient l'air très anciens. J'eus envie de lui offrir de l'argent, mais je n'osai, craignant de le blesser. Il fut convenu que je l'aiderais dans la recherche d'Eva et nous nous quittâmes bons amis.

Je n'aspirais qu'à ne plus en entendre parler et à m'occuper des poissons aveugles, habitants des lacs souterrains de Java. Mais ma destinée était écrite à côté de celle d'Eva et par conséquent de la sienne.

Cet Italien, second de navire, n'était qu'un misérable calomniateur, un inventeur de mensonges étranges. Il vint me l'avouer lui-même quelques jours après, au moment où je déployais la moustiquaire pour faire la sieste du milieu de la journée.

Il avait calomnié la charmante Eva et il en avait du remords. Elle n'avait jamais été sa maîtresse, il me le jurait sur l'honneur. Cette jeune fille était absolument pure. Elle n'était venue le voir que pour une affaire, car elle s'occupait des affaires de son père, et si elle était sortie de sa chambre au moyen d'une échelle, c'était par fantaisie et par goût naturel du sport. Lui, poussé par une inqualifiable vanité, avait voulu faire croire à une liaison avec elle. Il m'en demandait pardon humblement.

Durant qu'il parlait, il ne se montrait nullement humble. Il avait, au contraire, l'air arrogant et satisfait. Sa voix avait une intonation volontairement monotone, comme quelqu'un qui récite une leçon et veut donner la sensation qu'il récite une leçon.

Il frisait sa moustache d'une manière tout à fait insupportable et l'extrême chaleur faisait couler sur son visage des gouttes de sueur qui mouillaient sa barbe aussi ridiculement que ses larmes, quelques jours auparavant. Je remarquai que cette barbe avait été teinte récemment en un noir éclatant.

— D'ailleurs, j'ai revu Eva, conclut-il en baissant les yeux.

Il ne vit pas le coup d'œil que je jetai sur ma cravache.

— Je vous ai dit ce que je devais vous dire, ajouta-t-il, sur le seuil de la porte.

— Cela me paraît tout à fait vraisemblable, répondis-je avec mauvaise humeur.

Et c'était vrai. J'étais sûr que la merveilleuse Eva n'avait pas appartenu à ce minable individu velu et déjà vieillissant.

En ce temps-là, je pouvais encore avoir une certitude en cette matière, ignorant que les femmes n'ont ni goût, ni dégoût, mais sont les servantes de l'occasion qui passe et les esclaves de ceux qui insistent.

Pourtant je ne m'endormis pas à l'heure brûlante de la sieste. Séparé du monde par le tissu de rêve de la moustiquaire, je voyais les poissons aveugles avec leurs nageoires difformes et leurs phosphorescences diaprées, disparaître dans des ténèbres d'indifférence. Ni l'âge, ni la rayure, ni le prix des panthères ne comptaient pour moi. La ville de Batavia avec ses formidables avenues et ses jardins équatoriaux, celle de Singapour avec ses villas sur pilotis et son triple port, la Malaisie avec ses îles sauvages, ses volcans et ses forêts vierges, toute la terre que l'on dit ronde et qui a l'air si plate, tournait autour d'un visage de jeune fille qui riait au pied d'une échelle.

Mais ce devait être là ma dernière rêverie paisible. Je l'affirme, c'était encore un homme ordinaire qui faisait la sieste dans cette pauvre chambre d'hôtel, un homme qui n'avait encore en lui que des passions moyennes. Mais celui qui devait être brûlé par une inconcevable haine de l'espèce animale, l'homme du Tigre, ne devait naître qu'un peu plus tard.

L'ÉTRANGE INDIGOTERIE

J'ai toujours plu aux femmes. Mademoiselle Whampoa, la fille du plus riche négociant chinois de Singapour, m'avait, en quelque sorte, fait demander en mariage par son père.

Les Whampoa sont une grande famille de Chine, car il y a dans ce pays des aristocraties d'une ancienneté formidable, dont nous n'avons, nous, Européens, aucune idée. J'avais répondu de façon évasive, parce que si la jeune fille était jolie, bien qu'un peu petite, elle passait pour cultivée et je crois même qu'elle était poète ou quelque chose d'approchant, ce qui la rendait tout à fait impossible pour moi.

Une jeune veuve anglaise, que des spéculations de terrains avaient enrichie, recevait parfois mes visites et les attendait avec impatience. On disait qu'elle avait eu quelques aventures. Mais je n'attache pas d'importance à ces vétilles et je prétends qu'un homme qui est un homme dans le sens élevé du mot ne doit pas s'occuper si la femme qu'il aime a, de-ci, de-là, quelques écarts de conduite. L'essentiel est de les ignorer et de faire claquer sa cravache si quelque sot essaie d'éveiller votre jalousie par des racontars calomnieux.

Je fus passionnément aimé par une rouquine javanaise d'une maison de danse du quartier neuf de Singapour. Je crois bien qu'elle se serait tuée pour moi si je ne m'étais pas très habilement entendu avec sa mère pour la doter et lui faire épouser un pauvre diable qui l'emmena dans l'île Madura.

Je ne fus donc pas surpris de l'impression favorable que j'avais produite sur Eva et je prolongeai mon séjour à Batavia dans l'espoir de la rencontrer. Mais au bout de quelques semaines, n'en ayant aucune nouvelle, j'allais me rembarquer pour Singapour avec mes poissons aveugles et mes panthères.

Je venais de donner mes ordres à Ali pour le transport des animaux quand, au moment où j'allais sortir de mon modeste hôtel, je me trouvai en présence d'un jeune Javanais, vêtu avec une extrême recherche, qui m'interpella par mon nom.

Ce jeune homme me fut aussitôt antipathique par sa politesse glaciale, ses mains trop soignées, son allure efféminée.

Il portait un sarong de soie et son kolambi bleuâtre avait des broderies orange sur les manches. Contrairement à l'usage de tous les habitants du pays, aucun kriss n'était suspendu à sa ceinture. L'absence du turban ou du mouchoir autour de la tête que prescrit la loi de l'Islam me fit penser qu'il devait être bouddhiste ou professer une de ces bizarres religions hindoues.

Ce jeune homme était du reste un serviteur, un simple serviteur. Il n'avait eu aucune peine, me dit-il, à me découvrir à Singapour, tant il est difficile à certains hommes de vivre cachés.

Il venait de la part de son maître, monsieur Varoga, le propriétaire d'une grande indigoterie située sur les confins du district de Djokjokarta et de celui de Solo, et dont le nom ne m'était du reste pas inconnu.

Il avait franchi la grande distance qui sépare ces régions de Batavia pour me transmettre une invitation. M. Varoga m'invitait à une chasse exceptionnelle. Ses plantations étaient hantées par un tigre d'une taille prodigieuse et d'une audace comme on n'en avait jamais connu.

Les bruits du gong, la lumière des flambeaux, rien ne l'effrayait. On venait de célébrer dans tous les villages de l'île de grandes fêtes en l'honneur de la suppression de l'esclavage sur les possessions hollandaises. M. Varoga avait fait tirer, ce soir-là, cinquante coups d'un petit canon qu'il avait fait venir d'Europe pour ces sortes de cérémonies. Eh bien ! le bruit du canon n'avait pas effrayé le tigre, qui avait enlevé une femme à quelques centaines de pas de l'endroit où le canon tirait.

Les trois villages qui entouraient l'indigoterie étaient terrorisés. On avait inutilement creusé un grand nombre de pièges. M. Varoga était trop âgé pour chasser lui-même. Il avait entendu dire qu'un célèbre spécialiste d'animaux sauvages était de passage à Batavia. C'était sur lui qu'il comptait pour le débarrasser de ce monstre.

Cette proposition était flatteuse et tentante. Il s'y ajoutait l'attrait de la possession du tigre si on le prenait vivant. J'objectai tout de suite la longueur d'un voyage de plus de quatre cents kilomètres à travers les terres. Mais le jeune Javanais sourit avec une ironie qui voulait dire que de telles contingences n'existaient que pour des hommes vulgaires comme moi.

M. Varoga possédait une de ces étonnantes chaloupes à vapeur qui se moquent de l'absence des vents et de la présence des pirates malais sur leurs longs praos, et cette chaloupe me transporterait le lendemain à Samarang où des chevaux nous attendaient. Il suffirait alors de deux étapes pour atteindre l'indigoterie par la grande route de Djokjokarta.

Mes affaires me rappelaient à Singapour où mon employé principal, un homme myope et borné, dirigeait ma maison en mon absence. Je venais d'être avisé par une lettre de lui qu'il était malade et qu'il m'attendait impatiemment.

J'acceptai pourtant la proposition qui m'était faite, par vanité d'abord, l'homme est conduit par sa vanité — ensuite à cause d'un secret et inexplicable pressentiment.

Il fut convenu que j'amènerais Ali et que nous partirions le lendemain.

Je hais les animaux, mais les végétaux m'inspirent un violent amour.

Je trouve que les montagnes sont belles à cause de leurs chevelures d'arbres et que les rivières n'ont d'attrait que parce qu'elles baignent des branches feuillues et de fabuleuses racines.

Quand nous eûmes dépassé le massif montagneux de Merbarou et de Mérapi ; quand, à droite et à gauche, le ciel fut coupé par les hautes lignes de forêts vierges barrant l'horizon, je cessai d'être irrité par l'ironie silencieuse du Javanais efféminé, mon cœur se mit à battre et je sentis descendre en moi le calme que me procure toujours une nature désordonnée.

Les aréquiers géants, les bois de teck, les banians centenaires nous enveloppaient de tous côtés et ensevelissaient sous leur voûte la route fragile comme un fil d'argent.

Les villages avaient l'air de poussières de brins de paille et parfois, sous un enchevêtrement de lianes, on apercevait les vestiges d'un temple, un éléphant de pierre, une théorie de colonnes, car l'île de Java, et en particulier cette région, abrita, paraît-il, l'antique civilisation d'un peuple constructeur d'édifices.

Puis la forêt, qui s'était rapprochée au point de nous écraser, recula un peu. Nous traversâmes des plantations de café et d'indigo, des bois de cotonniers. Le soir allait venir et les mouches à feu commençaient à sillonner l'air. Le serviteur javanais se rapprocha de moi et me montra un amoncellement d'ombres que nous allions atteindre.

— Nous sommes arrivés, fit-il.

Il y avait plusieurs banians dont les troncs étaient tellement hauts et d'une épaisseur si énorme qu'une vaste demeure moderne qui était à leur pied avait l'air toute petite.

Je vis des serviteurs courir avec empressement, mais sous la disproportion des arbres ils me firent l'effet d'être des enfants. Une femme, que je pris d'abord pour une naine, était au milieu d'eux.

Comme nous étions arrivés devant le perron, chacun retrouva sa grandeur naturelle et je m'aperçus que la maison était immense. Je mis pied à terre et je reconnus, du reste sans un grand étonnement, dans la femme qui m'avait paru minuscule et qui s'avançait vers moi en souriant avec aisance et en me tendant la main pour m'accueillir, la jeune fille à l'échelle.

Je dis que je n'éprouvai pas un grand étonnement parce que mon pressentiment n'avait fait que se préciser pendant le voyage, surtout dès que les premières ombres des forêts vierges s'étaient étendues à mes côtés, comme s'il y avait une liaison secrète entre cette créature vivante à laquelle je pensais et l'océan des végétaux bienveillants.

L'hospitalité de M. Varoga était royale. N'étais-je pas une sorte de roi des bêtes ?

Une foule de serviteurs me guettait pour combler mes moindres désirs et quand je sortis pour visiter les plantations, je m'aperçus que les indigènes avaient gardé la déplorable habitude ancienne de se prosterner devant les Européens. J'avais toujours envie de leur crier :

— Debout ! Vous êtes des hommes comme moi !

Mais je ne disais rien par respect pour les vieux usages et pour ne pas faire sourire la charmante Eva qui m'accompagnait et me faisait les honneurs de ses domaines.

Je voyais à peine monsieur Varoga. C'était un homme desséché et jaune de teint. Il ne quittait guère sa chambre, où il semblait mystérieusement occupé. Il n'apparaissait qu'aux repas. Il se confondait alors en amabilités, il me répétait que toute sa maison m'appartenait, mais dès que nous étions, sa fille et moi, installés sous la vérandah, il balbutiait quelques mots d'excuse et se hâtait de nous laisser.

Je tins, dès le premier jour, à visiter les pièges que l'on avait creusés pour le tigre. J'en fis enlever les épieux que l'on y met d'ordinaire et sur lesquels il se tue en tombant, car je tenais à le prendre vivant, et je fis modifier avec art la couche de feuilles dont ces pièges étaient recouverts.

J'examinai les lieux où, tour à tour, des bœufs, un cheval et deux femmes avaient été enlevés et je me rendis à tous les endroits du voisinage où il y avait de l'eau et où le tigre était susceptible d'aller boire.

Eva venait avec moi, le chapeau de feutre sur les yeux et la jupe un peu au-dessus des genoux. Elle me répétait, en fixant sur moi ses immenses yeux enflammés, que rien n'était pressé et que son père et elle tenaient à me garder le plus longtemps possible.

Ali et l'insupportable Javanais, qui s'appelait Djath, nous accompagnaient dans nos courses. Ce Djath affectait toujours d'aller sans armes. Cette affectation était ridicule, car ne serait-ce qu'à cause des innombrables serpents qui peuplent les jungles, un couteau de chasse, au moins, est nécessaire. Mais il disait en souriant qu'il charmait les serpents en les appelant par leur nom.

Par leur nom ! Était-ce possible ? Et Eva, quand je haussais les épaules à ces sottises, m'affirmait que c'était vrai et je la surprenais lui jetant un tendre regard.

Ce Djath affectait encore d'être uniquement occupé, quand nous sortions, à faire un grand bouquet de champakas jaunes et de cette sorte de tubéreuse que les Malais appellent sundal-malam, c'est-à-dire « intrigante de nuit », et qui passe pour avoir la propriété de donner à ceux qui en répandent sur leur corps des rêves voluptueux.

Quand nous rentrions, il remettait le bouquet qu'il avait cueilli à Eva. Celle-ci l'emportait aussitôt dans sa chambre, non sans un nouvel échange de regards.

J'en éprouvais une grande colère intérieure que je ne laissais pas voir et j'étais obligé de me rappeler qui j'étais pour ne pas sentir de la jalousie naître en moi.

Deux ou trois fois, comme j'étais seul avec Eva sous la vérandah, elle me dit en me montrant la grande forêt qui se dressait à l'horizon comme une impénétrable muraille :

— Vous savez, il faut bien prendre garde. La forêt de Mérapi n'est pas comme les autres forêts. C'est une des plus anciennes du monde et elle recèle de grands mystères.

Et je m'aperçus que je ne comprenais rien aux êtres et aux choses et que tout était singulier dans ce coin de terre de Java, non loin du mont Mérapi, à l'orée de la forêt de ce nom.

Il y avait un tigre qui rôdait autour des plantations et qui emportait des moutons, des bœufs et même des femmes. Il ne craignait pas le canon, il évitait les pièges et les indigènes qui l'avaient aperçu et que j'interrogeai à son sujet furent unanimes à me le dépeindre comme étant d'une grandeur surnaturelle.

Un jour, comme nous avions pénétré dans la forêt et que nous rentrions à l'heure du soleil couchant, — hâtivement, je dois le dire, parce que les dangers commencent avec la nuit — nous entendîmes un cri, ou plutôt un chant, une sorte de mélopée étrangement évocatrice et qui avait dans ses accents quelque chose de religieux. Je distinguai des paroles chantées qui correspondaient à peu près à ceci :

— Om, Mani, Padmé, Aum !

J'arrêtai mon cheval et je voulus revenir en arrière pour ramener le malheureux, sans doute égaré, qui errait seul dans la forêt, à l'heure où la nuit descend.

Mais Eva secoua la tête et me fit signe de continuer ma route.

— C'est Chumbul, le saint. Il habite très loin, de ce côté, en pleine forêt, et il ne se promène que la nuit.

— S'il sort la nuit, dis-je, comment n'est-il pas mangé par le tigre ou par les autres bêtes sauvages ?

A ces paroles, Eva se mit à rire et Djath, qui était derrière elle, fit de même, comme si j'avais dit une chose infiniment plaisante et invraisemblable.

Et nous repartîmes, tandis qu'au loin retentissait la voix de celui qui, non seulement errait seul, la nuit, dans la forêt, mais encore se signalait aux fauves par ses cris.

La conduite de monsieur Varoga à mon égard, la vie cachée qu'il menait dans sa chambre, me paraissaient énigmatiques, mais cela était encore le mystère qui devait s'expliquer le plus aisément.

Je fus réveillé plusieurs fois la nuit par des grondements formidables qui semblaient partir de l'intérieur de la terre. J'en eus des sueurs froides et dès l'aurore je courus dans la maison en demander l'explication. Ni les maîtres, ni les serviteurs ne s'étaient même aperçus de ces phénomènes. Cela tenait à la nature volcanique du terrain, me fut-il répondu, et rien de fâcheux ne résultait jamais pour les hommes de ces tonnerres souterrains.

Ce qui m'inquiétait le plus, c'était la véritable personnalité d'Eva, le mystère de son sourire, celui des rêveries dans lesquelles elle tombait, celui de ses gaîtés enfantines, celui de sa coquetterie à mon égard.

Elle s'était expliquée en riant, mais très franchement avec moi, au sujet de l'incident de l'échelle et ce qu'elle m'avait dit était marqué au sceau de la vraisemblance.

Son père voulait changer le commandant de la chaloupe à vapeur qui faisait le service de Samarang à Batavia pour ses affaires. Elle était allée voir ce second de navire qu'elle savait sans place en ce moment, pour lui proposer ce poste. Elle avait vu une échelle contre la fenêtre et elle avait trouvé amusant de descendre par ce moyen.

Elle avait appris, ensuite, que ce second était un étrange alcoolique, un maniaque se flattant de bonnes fortunes qui n'existaient que dans son imagination. Elle avait deviné qu'il était venu me trouver. Elle l'avait revu et elle avait exigé qu'il eût avec moi une nouvelle conversation pour démentir ses premiers propos.

Tout cela raconté avec enjouement comme une chose plutôt comique, parce qu'elle révélait l'étonnante psychologie de certains hommes fats, me paraissait véridique et me faisait regretter de ne pas avoir infligé un sévère châtiment au second de navire.

Oui, l'incident de l'échelle n'aurait été nullement compromettant s'il n'y avait pas eu, ensuite, un nouvel incident d'échelle. Le second de navire n'aurait plus existé dans mon esprit si je n'avais pas vu Djath, le Javanais, aux mains trop soignées, grimpant sur une échelle jusqu'à une fenêtre, la fenêtre de la chambre d'Eva.

Je veux dire les événements dans leur succession et comment certains mystères ont reçu une explication plausible, comment d'autres se sont compliqués jusqu'à participer des mystères de la nature même.

Mais le plus grand de tous, je me suis aperçu, par la suite, que je ne pourrai jamais le résoudre, parce que c'est celui qui est dans ma propre âme, dans la variété de ses changements, l'inconnu de ses manifestations et l'abîme intérieur des pensées humaines est plus profond que la mystérieuse forêt de Mérapi et que les chaos souterrains où les volcans puisent leur substance.

PREMIÈRE RENCONTRE AVEC LE TIGRE

Ce qu'il y a de plus extraordinaire dans une forêt, c'est la puissance de la pourriture.

Des détritus végétaux amoncelés, des feuillages qui se décomposent, de l'entassement des humus, sous l'influence d'une transpiration éternelle du sol et des arbres, d'une native humidité chargée de germes, jaillissent des couches toujours renouvelées de plantes vivantes.

Une forêt est comme un gigantesque creuset de la nature où les formes mortes bouillonnent sans cesse et deviennent animées et celui qui s'y promène enfonce ses pieds dans un amas de désagrégations intermédiaire entre la vie et la mort.

Aussi la forêt me remplit de gravité et donne à mon esprit une certaine tristesse sereine.

Ce jour-là, j'avais traversé seul les cultures et la jungle qui s'étendent sur plusieurs milles autour de la maison et par un chemin bordé de poivriers sauvages j'avais gagné la voûte prodigieuse de la forêt.

J'avais été saisi brusquement de cette envie de tuer des bêtes, de ce génie de la chasse qui s'empare de moi, certains jours. J'avais besoin aussi de recueillement. J'avais éprouvé un vif mécontentement. Je venais d'apprendre que Djath composait des poésies dans sa langue javanaise et qu'il les lisait parfois à Eva.

Or, les gens qui s'adonnent à de tels passe-temps m'ont toujours été odieux et il m'avait été pénible de penser qu'Eva pouvait s'intéresser à ces sottises.

J'avais mis en bandoulière un fusil de monsieur Varoga, un fusil que je connaissais mal — hélas ! je n'avais pas emporté les miens en voyage — et j'étais parti.

A l'orée de la forêt il y a une rivière que l'on passe sur un tronc d'arbre. J'avais aperçu, près de l'eau, un marabout sur une patte, avec sa tête chauve qui semblait lourde de pensées et son plumage noir vert qu'il lissait négligemment de son bec énorme.

Je lui avais fait grâce, sans savoir pourquoi. Mais dès que j'eus franchi la ligne des hauts ébéniers qui se dressaient au seuil de la forêt, comme s'ils en étaient les gardiens, je me mis à tirer sur tous les êtres animés qu'il me fut donné d'apercevoir. Je tirais au petit bonheur, sans m'occuper du résultat de mes coups, pour mon soulagement personnel, pour le plaisir désintéressé de tuer des bêtes.

Un homme inexpérimenté qui marche dans une forêt peut croire qu'elle est dépeuplée. Un grand silence rayonne autour de ses pas, toutes les créatures, dans l'herbe et dans les branches, s'immobilisent comme si elles savaient, par un sûr instinct millénaire, que cette forme mince à deux jambes et qui porte un tube de métal dans ses mains, est la propagatrice de la mort, l'éternel assassin de toutes les espèces.

Mais l'homme qui connaît le monde sauvage distingue de confus rampements, voit des figures rusées d'oiseaux, des mufles béants de terreur à cause de misérables progénitures animales, et il tue en se réjouissant de sa perspicacité et de son adresse.

Il y eut d'abord un perroquet qui tomba avec un grand bruit d'ailes en faisant une tache jaune et rouge le long des troncs noirs. J'en avais aperçu deux qui se balançaient innocemment sur une branche.

Les perroquets sont monogames. Quand ils se sont réunis en couple, ils ne se quittent plus et se chérissent tendrement pendant leur longue vie.

Or, rien ne peut m'irriter davantage que de penser que les bêtes connaissent le noble sentiment de l'amour, comme l'homme, et sont souvent plus fidèles que lui.

J'eus donc un âpre plaisir à entendre le second perroquet jacasser désespérément sur sa branche. Sa douleur fut plus forte que l'effroi de mon coup de fusil, car il ne s'enfuit pas, et je l'entendis longtemps se lamenter avec des syllabes presque humaines.

Puis ce fut un singe qui dégringola d'un manguier avec le fruit qu'il tenait. C'était un cercopithèque de petite espèce. Je n'avais fait que le blesser, car je l'aperçus qui tournait en rond sur le sol sans lâcher sa mangue, comme si sa blessure lui avait fait perdre la raison. Je dédaignai de revenir sur mes pas pour l'achever.

Il me semble qu'un paon fut tué un peu plus loin. J'eus la bonne fortune d'écraser d'un coup de crosse la tête d'un assez gros serpent qui dormait. Je tirai au juger, sur quelque chose qui remuait dans les broussailles et je poussai presque un cri de joie en voyant que c'était un midaus, énorme rat à tête de porc, à queue en éventail, qui dégage une odeur infecte.

Puis, successivement, j'abattis un kalender, espèce de renard qui porte ses petits sur son dos, et un de ces étranges cuscus des arbres qui vous regardent fixement avec des prunelles effarantes.

C'était un jour de facilité heureuse. J'avais à peine besoin de viser. Tous mes coups portaient.

J'avais marché droit devant moi, conduit par l'aveugle désir de tuer. J'avais pénétré assez loin dans la forêt par une piste étroite qui aboutissait parfois à une clairière, s'élargissait et se rétrécissait de façon uniforme.

Je songeais combien il serait aisé de se perdre dans cet océan de troncs et de lianes et une sorte de lourdeur de l'air qui filtrait malgré l'opacité du ténébreux plafond des branches enlacées me fit penser que l'après-midi devait être à son déclin.

Je m'arrêtai brusquement. Je me sentis soudain très las et il me fallut un grand effort pour recharger mon fusil.

J'avais chaud. Dans l'endroit où je me trouvais, le sentier était particulièrement resserré et la mer flottante des bois ondulait tout à fait basse et touchait presque ma tête. J'eus une sensation inaccoutumée de découragement. Des milliers d'adversaires m'entouraient. Derrière tous les troncs je croyais voir des faces simiesques grimacer. Des formes recouvertes de poils remuaient dans les feuilles. Des ailes bruissaient. Des écailles de lézard craquaient sous l'humus. Comment vaincrais-je jamais ces légions éternelles d'animaux ?

J'avais rebroussé chemin et je me hâtais. Les clairières succédaient aux clairières, les sentiers à peine dessinés s'y croisaient et j'étais saisi d'une vague crainte de m'égarer dans ce dédale où je m'étais enfoncé si imprudemment.

Une nuance d'un bleu saphir qui se répandit dans l'air annonça la venue prochaine du soir et comme si ce signal silencieux était attendu par un peuple jusqu'alors muet, des tressaillements, des chuchotements remplirent les massifs inextricables qui m'entouraient, une plus intense vie ailée battit dans l'air et de singuliers appels d'oiseaux et de singes se répondirent par-dessus ma tête.

Mais je n'avais plus envie de faire du bruit en tirant des coups de fusil et même j'évitais de frapper trop fortement le sol en marchant. Je glissais comme une ombre rapide qu'épouvantent les mystérieuses armées de la solitude.

Je m'arrêtai à nouveau à une cinquantaine de mètres d'une clairière que je devais traverser. Un groupe de singes gibbons, d'assez grande espèce, la traversait en sens inverse. Je crus d'abord avoir affaire à des hommes de petite taille et je faillis les appeler. Tous les singes me virent, mais ils me regardèrent sans effroi et ils continuèrent à marcher en se contentant de pousser un sourd grondement.

Je compris alors que j'étais le témoin d'un rare spectacle.

Au milieu de leur groupe, quatre singes tenaient par les bras et les jambes un singe mort. En tête, plus grand que les autres par la taille, était un singe qui était le guide et le chef. Le cortège que je voyais passer était un cortège funèbre.

J'avais entendu dire que les singes gibbons avaient coutume d'enterrer leurs morts et qu'ils le faisaient dans des lieux secrets et au commencement de la nuit. Je n'y avais pas ajouté foi. Je savais aussi qu'il ne fallait pas les troubler pendant l'accomplissement de ce rite, parce qu'ils devenaient alors redoutables. Je restai immobile jusqu'à ce que ces étranges fossoyeurs eussent disparu dans les broussailles.

Mais quand j'eus repris ma route d'un pas plus allongé, des pensées nouvelles m'assaillirent, des paroles entendues autrefois et auxquelles je n'avais pas attaché d'importance me revinrent.

Je me rappelai qu'un voyageur, qui avait accompli un voyage dans des régions inconnues de la Birmanie, me racontait qu'il avait été appelé à faire un traité d'alliance avec une tribu d'orangs-outangs, et qu'il avait, par signes, établi certaines conventions avec un orang qui semblait exercer une sorte de royauté sur ses congénères.

Il disait que dans la Birmanie du Nord se trouvait une montagne inexplorée où était un immense cimetière d'éléphants et que certains de ces animaux allaient, à certaines époques de l'année, dans ce cimetière et y poussaient des cris, s'y livraient à des gesticulations dont l'ensemble formait une sorte de cérémonie mortuaire.

Si les animaux étaient susceptibles d'obéir à des chefs, à des rois, s'ils avaient même des prêtres pour invoquer les puissances de la mort, ne pouvait-il y avoir une organisation, inconnue pour les hommes et plus vaste, permettant aux espèces différentes d'animaux de communiquer entre elles, de se faire part de leurs terreurs et de leurs malheurs.

Tous les appels dont le soir se remplissait composaient peut-être un langage. Il y avait eu, par le jacassement des singes, le cri stupide des paons, des communications d'arbre à arbre, des informations qui étaient allées très loin dans la forêt. Et ces informations devaient dire qu'un tueur de bêtes, un redoutable ennemi de l'espèce animale, avait eu la folie de se laisser surprendre par la nuit dans la forêt et courait maintenant, éperdu, en quête de la région des hommes.

A qui ces informations pouvaient-elles s'adresser, si ce n'est au plus redoutable des animaux, à ce tigre de grandeur phénoménale qui devait être un roi parmi les siens ?

Oui, le sage monsieur Muhcin, de Singapour, n'avait pas tort quand il me disait qu'il y avait des hiérarchies dans les animaux et que les uns possédaient des secrets de la nature que ne possédaient pas les autres et que les hommes eux-mêmes ignoraient.

C'était un crapaud sorcier, un crapaud magicien qui avait tué ma mère par la vertu de son regard haineux et moi, je risquais à toute seconde de périr sous les griffes du tigre vengeur, du souverain de la forêt de Mérapi.

Il me semblait entendre derrière moi un pas feutré, une haleine puissante. Jamais les cocotiers avec leurs troncs uniformément droits ne m'avaient donné cette sensation de monotonie désespérée.

Et tout à coup je butai sur quelque chose de mou. C'était un perroquet mort, celui que j'avais tué lorsque j'étais entré dans la forêt. Je jetai un regard circulaire autour de moi. Je reconnus le sentier où je me trouvais. J'étais à l'orée du pays des arbres. J'étais sauvé.

Le calme me revint avec une certaine honte de moi-même. Ce fut à tous petits pas que j'atteignis la lisière de la forêt.

Je poussai un soupir en franchissant la muraille des sombres ébéniers. Devant moi, éclairé par la lune, s'étendait l'horizon de la jungle. D'innombrables mouches à feu, comme des étincelles vivantes, volaient dans tous les sens. Au loin, je voyais de grandes lignes noires, bienveillantes et infinies qui étaient des avenues bordées de hauts banians plantés par la main des hommes et je savais que là il y avait des villages et une belle demeure européenne où les serviteurs devaient, à cette heure, allumer les lampes.

Devant moi, au bas d'une pente, dans un enfoncement assez profond, je vis scintiller l'eau bleuâtre de la rivière qu'encadraient d'épais tamariniers.

Je descendis, non sans regarder à plusieurs reprises la forêt par-dessus mon épaule, je passai le tronc d'arbre qui servait de pont et je remontai l'autre côté de la pente. Il y eut un petit clapotis d'eau et je vis le marabout chauve, toujours immobile sur sa patte.

Et tout d'un coup un regret me vint. J'avais été favorisé par la chance, puisqu'à chaque coup que j'avais tiré un animal était tombé. Pourquoi ne pas mettre encore cette chance à profit ?

Je savais que pendant plusieurs kilomètres le lit de la rivière était encaissé et que les bêtes qui voulaient boire n'en pouvaient atteindre l'eau que très difficilement.

L'endroit où je me trouvais était un abreuvoir naturel et plusieurs pistes y aboutissaient. Je ne pouvais pas trouver une meilleure embuscade pour guetter le tigre. Puis, j'avais encore une heure de marche à faire pour atteindre la maison de monsieur Varoga. Je décidai de me reposer un peu en me mettant à l'affût, face à la forêt. Je m'assis donc auprès d'un petit tamarinier, non loin de l'eau, mon chapeau et mon fusil posés devant moi.

La nature m'a accordé, dès ma naissance, un don précieux, parmi d'autres dons, qu'elle ne m'a jamais ôté. Quelles que soient mes préoccupations ou mes chagrins, j'ai la faculté de m'endormir avec une extrême facilité. A peine étais-je installé qu'un sommeil profond s'empara de moi.

Je ne sais combien de temps il dura. Sans doute assez longtemps. Ma première sensation en m'éveillant fut que mon chapeau en paille de Manille n'était plus à l'endroit où je l'avais placé. Le vent l'avait entraîné dans le creux de la rivière. Ce vent avait ensuite changé de direction, car la deuxième sensation que j'éprouvai en sortant de mon sommeil fut une odeur infecte de viande décomposée. Je n'ai jamais pu, malgré ma profession, m'accoutumer à cet abominable relent que dégagent les bêtes dévoratrices de chair crue.

J'eus un haut-le-cœur. Mais aussitôt mille voix crièrent en moi : la cause ! Quelle est la cause de cette affreuse odeur ? Toutes mes facultés d'attention s'éveillaient et une lucidité parfaite s'emparait de mon cerveau, pendant que mes mains se tendaient machinalement et silencieusement vers la crosse de mon fusil.

Le tigre était en face de moi à l'orée de la forêt. Il venait de sortir des arbres et il regardait ou plutôt il respirait, car sa tête était baissée vers le sol et se balançait de droite et de gauche, d'un mouvement atrocement régulier.

Il était prodigieux, fantastique. Je n'en avais jamais vu d'aussi grand et surtout d'aussi long. La lune blanchissait ses rayures qui avaient l'air peintes. Sa queue battait d'une façon mécanique. Mais ce qui était le plus impressionnant dans cette silhouette démoniaque était l'allongement démesuré, disproportionné de son mufle.

Je crus, une seconde, avoir reculé dans le temps jusqu'à l'époque des monstres fabuleux. La forêt se dressa plus haute, la petite rivière roula avec impétuosité, la patte du marabout s'allongea comme celle d'un oiseau de rêve. Les paroles de monsieur Muhcin me revinrent à nouveau à la mémoire. Le tigre que je voyais était plus qu'un animal roi, c'était un bourreau de l'enfer des bêtes, c'était une sorte de tigre dieu.

Je calculai qu'il ne m'avait pas encore senti, puisque le vent soufflait de mon côté et que c'était moi qui percevais son odeur. Enfin mes mains se posèrent sur le bois de mon fusil que j'attirai doucement à moi.

Je me rappelai avec netteté qu'il y avait du plomb dans le canon droit et des chevrotines dans le canon gauche. Si je ne faisais que le blesser avec mon premier coup, je pouvais encore l'aveugler à bout portant avec la décharge du plomb. L'essentiel était qu'il découvrît le défaut de son épaule d'une façon favorable, pour qu'il pût être atteint en plein cœur. Les choses ne se présentaient en somme pas mal.

Mais alors il se passa une chose surprenante. Je m'aperçus que mon fusil avait un petit mouvement de droite et de gauche comme la tête du tigre. Je tremblais. Le saisissement causé par mon brusque réveil et l'apparition inattendue de l'ennemi avaient secoué mes nerfs et étaient la cause de ce tremblement.

Et dans le même moment où j'eus cette perception, l'immensité du danger se découvrit à moi et j'éprouvai cette sensation d'espace, de vide absolu que j'ai toujours dans de semblables occasions.

Je savais bien qu'il y avait tout près de moi un arbre dont les branches n'étaient pas très élevées et que j'aurais pu gravir aisément. Au moment où je m'étais assis pour l'affût j'avais aperçu dans un champ de canne à sucre une dépression de terrain, une sorte d'excavation encadrée de pierres qui m'avait parue excellente pour m'abriter et d'où j'aurais pu tirer presque sans être vu.

C'était par paresse que je m'étais laissé tomber auprès d'un petit tamarinier qui ne pouvait m'être d'aucun secours. Où était l'arbre aux branches propices ? Où était le champ de canne à sucre ?

Le paysage avait reculé, s'était anéanti. Je ne voyais plus rien qu'une étendue illimitée, un vide plus grand que celui des espaces planétaires où j'étais seul avec un tigre formidable.

Et dans ce néant, d'un pas lent, en soufflant d'une façon rauque et en regardant toujours la terre, le tigre s'avança vers moi.

Il ne faisait pas plus de bruit que s'il s'était mû dans l'espace. Il descendit la pente de la rivière pendant que je me levais dans l'espérance que la position droite calmerait mes nerfs, arrêterait mon tremblement, me donnerait la possibilité de tirer avec certitude.

Arrivé près de l'eau le tigre se balança quelques secondes, il souffla encore, il souleva un peu de sable avec sa patte et il but paisiblement. Puis il leva la tête, satisfait, et il m'aperçut.

Il ne bougea pas. En trois bonds il pouvait être sur moi. La sagesse était de profiter de son immobilité pour tirer. Mais je me rendais compte que mes mains n'avaient pas la sûreté suffisante. Le calme me revenait peu à peu à cause du caractère professionnel que comporte l'échange de regard d'un dompteur et d'un tigre et le monde, la forêt, la rivière et le champ de canne à sucre se replaçaient peu à peu autour de nous, mais je ne cessais pas de trembler et mes mains étaient tellement glacées que je n'avais presque plus conscience de leur présence au bout de mes bras.

La lune était montée à l'horizon et elle éclairait lumineusement la scène. Les rayures du tigre étaient en argent mat, bordées de noir. Sa queue avait l'air d'un serpent qui aurait été aussi un éventail. Je voyais dans la rivière l'image renversée et déformée de la bête. Un bruit d'eau sur les pierres, que je n'avais pas remarqué jusqu'alors, me parut formidable. Je me souviens que malgré l'imminence du danger, une pensée dominait en moi stupidement, que je n'arrivais pas à chasser.

— Comment se fait-il que le marabout n'est pas effrayé par le tigre et qu'il ne quitte pas sa place ? Il veut voir comment je serai dévoré.

Que se passa-t-il dans l'esprit de la créature sanguinaire dont je voyais les bizarres yeux phosphorescents, sans expression, sans flamme, démesurément ouverts et fixés sur moi ?

Savait-elle par tradition orale qu'un homme debout et tenant dans ses mains un objet étincelant sous la lune pouvait transmettre la mort avant qu'on l'eût atteint ? Vit-elle dans mes yeux l'ordre muet d'une volonté supérieure ? Cette hypothèse est la moins vraisemblable, car je ne sentais pas ma puissance habituelle rayonner de moi et même j'éprouvais une singulière diminution de mon être comme si j'étais tout d'un coup devenu d'une toute petite taille, comme si j'étais une sorte de nain ridicule et incapable de tirer un coup de fusil. Mais le tigre venait peut-être de dévorer un animal à l'instant même et s'il avait soif, il n'avait sans doute pas faim.

Brusquement il se détourna de moi. Il glissa plutôt qu'il ne marcha le long de la pente. Il hésita encore une seconde lorsqu'il l'eut gravie. Pas un regard en arrière pour regarder la silhouette de l'homme debout avec ses mains frémissantes et son engin de mort que le manque de courage rendait inutile !

Il respira encore avec force. Un grand coup de son éventail blanc et noir qui me sembla déplacer l'atmosphère jusqu'à la lune et jusqu'aux froides étoiles et le roi solitaire aux pas feutrés rentra dans le royaume ténébreux des arbres.

Alors seulement, comme si le spectacle qu'il s'était promis n'avait pas eu lieu, le marabout se souleva, déploya ses ailes et avec un claquement de bec, où il exprimait sa déception, il s'éleva au-dessus des tamariniers de la rivière. Le vol de cet oiseau philosophe me parut infiniment mélancolique, lourd comme l'ignorance des choses et de soi-même que l'homme porte en lui.

J'étais triste. Mon chapeau à quelques pas de moi, près de l'eau, me parut très loin, à une distance infranchissable, car il fallait pour aller le chercher se rapprocher un peu de la forêt. On est très bien, nu tête, la nuit. J'abandonnai mon chapeau.

Une heure de marche me séparait de la maison de M. Varoga. A peine si je mis dix minutes pour franchir cette distance. Les aboîments des chiens frappèrent délicieusement mes oreilles et je me retins pour ne pas embrasser tous les êtres humains qui formaient un groupe inquiet sur le perron.

LE JEUNE HOMME A L'ÉCHELLE

Ici se place l'incident de la seconde échelle.

J'avais raconté, pendant le dîner, ma course dans la forêt et ma rencontre avec le tigre et je l'avais fait, sans presque aucune modification, à cause de la force que j'attribue à la sincérité.

Selon son habitude, M. Varoga, toujours préoccupé, nous avait quittés lorsqu'on s'était levé de table pour aller s'asseoir sous la vérandah. Il avait trouvé, comme prétexte quotidien, des projets de canaux à creuser dans le pays et il prétendait dresser dans sa chambre des cartes hydrographiques.

Je dois dire d'abord que, pendant les deux journées qui avaient précédé, Eva s'était montrée particulièrement coquette vis-à-vis de moi. Tantôt elle me fixait avec ses grands yeux terribles et chargés de volupté, dont elle adoucissait aussitôt l'ardeur par la musicalité de paroles indifférentes, tantôt, d'un geste familier, elle posait sur mon bras sa petite main et je croyais sentir comme une légère pression volontaire. Le matin même, elle m'avait donné une fleur de champaka en me disant :

— Gardez-la, c'est une fleur que j'ai portée contre moi, et elle a sur l'âme une étrange action.

Sur l'âme ! Ce n'était pas sur l'âme, mais sur le corps ! La fleur de champaka éveille la volupté, cela est bien connu. J'aurais attribué un sens provocant à ces mots si je n'avais pas préféré croire à la pureté parfaite d'Eva. Et puis, c'était Djath qui avait cueilli cette fleur.

A la clarté des étoiles, assis dans de grands fauteuils d'osier, nous étions côte à côte, tenant chacun un éventail carré et l'agitant pour chasser les moustiques. Au loin, les dernières lumières des villages s'étaient éteintes. Tous les serviteurs avaient dû aller se coucher, car un grand silence enveloppait les alentours de la maison.

Eva se taisait. La conversation était morte tout à coup entre nous, faisant place à ces paroles plus éloquentes qui n'ont pas besoin de syllabes pour s'exprimer.

Je regardai Eva. Elle était inclinée sur son fauteuil de mon côté et sa tête était penchée vers moi, assez près de la mienne.

La lune était tombée derrière la ligne des arbres en sorte qu'il n'y avait pas assez de lumière pour distinguer exactement les traits de la jeune fille. Mais j'y crus reconnaître une expression d'attente. Je pensai que le moment était venu. Je lui pris une main qu'elle ne retira pas et me mettant sur un genou, je lui dis que je l'aimais. Puis tendrement, mais avec la réserve due à une jeune fille, je portai sa main à mes lèvres et je l'effleurai.

Cela ne produisit pas sur elle l'effet de confusion et de tendresse que j'espérais.

J'entendis tomber comme une cascade métallique un rire frais, sonore, sincère. J'eus la sensation que par toute la vérandah roulaient de petites perles harmonieuses. Ce fut très court et aussitôt elle mit son éventail sur son visage.

— Pourquoi riez-vous ? dis-je, croyant à quelque cause extérieure que je ne percevais pas.

Eva abaissa son éventail. Il y avait sur son visage une expression de gaîté, et aussi un peu de déception.

— Je ris, parce que vous n'êtes pas un homme très moderne. Mais cela ne fait rien. Je vous aime bien. Il est très tard. Le récit de vos dangers pendant cette journée m'a brisée, nous reparlerons de cela demain, si vous voulez bien ?

Elle s'était levée. Je ne savais que dire. J'avais la crainte confuse d'avoir laissé passer une occasion. Je me disais que peut-être… mais non, ce n'était pas possible. Je baisai encore la main qu'Eva me tendait et elle disparut dans la maison. Elle monta en courant l'escalier qui menait à l'étage supérieur et il me sembla que les perles musicales s'égrenaient encore derrière elle.

Je n'avais pas sommeil. Je marchai très longtemps de long en large sous la vérandah. J'aurais voulu accomplir un exploit étonnant, voir paraître le tigre devant la maison et lutter corps à corps avec lui. J'étais mécontent. J'étais perplexe. Puis le silence impressionnant des nuits trop sereines pesait sur moi.

Ce silence fut troublé par un bizarre sifflement. Je n'y prêtai pas d'attention sur le moment et je regagnai ma chambre. Elle était située au premier et elle formait l'angle de la maison sur le devant. Bien qu'assez éloignée de celle d'Eva on en pouvait apercevoir le balcon en bois ouvragé.

Une fois dans ma chambre, j'examinai si quelque moustique ne s'était pas glissé sous la moustiquaire et n'était pas en train de m'y attendre. Puis, comme la chaleur était suffocante, j'allai respirer encore une fois sur ma fenêtre.

Instinctivement, je regardai s'il y avait encore une lampe allumée dans la chambre d'Eva. Il n'y avait pas de lampe allumée, mais il y avait une échelle posée contre le bois de son balcon, et, par cette échelle, montait un être que je reconnus immédiatement à son costume pour le Javanais Djath.

Il montait sans aucune précaution. Il ne regardait pas à droite et à gauche avec crainte. Arrivé au haut de l'échelle, le mouvement qu'il fit pour entrer dans la chambre le força à se détourner et ses yeux furent un instant fixés de mon côté. Je ne sais pas s'il me vit, car je me rejetai aussitôt en arrière.

Je ne pouvais croire qu'il était attendu par Eva, qu'Eva lui avait donné rendez-vous dans sa propre chambre au milieu de la nuit. J'étais intérieurement persuadé qu'Eva m'aimait et il me paraissait impossible qu'une jeune fille qui portait tant d'ingénuité sur son visage fût capable, après avoir entendu la déclaration d'amour de l'homme qu'elle aimait, de siffler mystérieusement pour appeler un jeune Javanais poète auprès d'elle.

Alors, quel pouvait être le sens de cette visite nocturne ? Djath avait peut-être une intention criminelle ? Un drame allait se produire ? J'écoutai si un cri ne retentissait pas. Il n'y eut qu'un silence plus lourd qu'auparavant.

Je n'osais me précipiter dans la chambre d'Eva. Je songeai que Djath m'avait peut-être aperçu, qu'il était redescendu pendant que je délibérais et que je me trouverais en présence d'Eva toute seule.

Quel que soit le prétexte, après l'aveu de mon amour, ma venue dans sa chambre était indigne d'un galant homme. On n'est que trop porté à penser qu'un dompteur est une brute ignorante, un être habitué aux bêtes féroces, inapte à ces délicatesses de procédés qu'aiment les femmes.

Le temps passait et il fallait faire quelque chose.

Mon père m'a toujours dit que, quand on est incertain entre plusieurs actions à accomplir, il faut toujours faire celle qui est le plus conforme à la morale courante, se comporter comme se comporterait la majorité des hommes. L'hôte d'une maison, qui avait surpris un événement de cet ordre devait en informer le maître de la maison, le père de famille.

Je ne réfléchis pas davantage et je m'élançai dans la large galerie circulaire qui donnait sur la cour intérieure. Cette galerie n'était éclairée que par la lune déclinante et elle était fort obscure. J'atteignis une porte et j'y frappai sans être absolument certain qu'elle donnait sur la chambre de M. Varoga.

Je n'eus pas d'abord de réponse. Peut-être M. Varoga dormait-il ? Je frappai plus fort, j'attendis et je frappai à nouveau. Après un temps assez long j'entendis un pas traînant que je reconnus pour celui de M. Varoga. Ce bruit de pas était accompagné par cette sorte de murmure que font entendre les gens ennuyés d'être dérangés.

— Qu'est-ce qu'il y a ? dit une voix derrière la porte, voix qui ne pouvait être celle d'un homme en train de dresser paisiblement des cartes hydrographiques.

— C'est moi, répondis-je. J'aurais deux mots à vous dire.

Il y eut quelques secondes de silence et alors, nettement, impérativement, retentit la voix de M. Varoga derrière la porte toujours close.

— Excusez-moi ! Je ne peux vous ouvrir. Nous causerons demain.

Et il ajouta, comme s'il répondait à mon insistance muette, d'un ton péremptoire :

— Il sera grand temps demain. Je termine une carte très importante.

De nouveau il y eut le bruit de son pas traînant qui s'éloignait. Il n'avait pas attendu ma réponse. Sans doute avait-il trouvé ma visite nocturne déplacée. Je n'osai pas insister.

Et comme j'allais m'éloigner je fus frappé en même temps par l'âcre parfum de l'opium qui semblait sortir de la chambre de M. Varoga et par un bruit de porte se refermant de l'autre côté de la galerie.

Une petite cascade de perles légères résonnait au loin, s'égrenait sur les ombres indécises des palmiers bas de la cour, le rire d'Eva un peu ironique, mais qui m'assurait qu'elle ne courait aucun danger.

A peine rentré dans ma chambre je me penchai aussitôt au dehors. L'échelle avait disparu.

J'eus le sentiment confus d'être ridicule et je ne m'en consolai qu'en me disant que mes actions avaient été durant toute la soirée celles d'un homme délicat et d'un honnête homme. Je ne m'endormis que grâce à mon exceptionnelle faculté de sommeil que j'avais déjà éprouvée quelques heures auparavant.

Mes inquiétudes disparurent le lendemain et firent place à la plus folle tranquillité.

Eva s'expliqua avec moi de la façon la plus loyale, la plus gaie, la plus délicieuse. Il paraît que je ne suis pas un homme moderne et que je ne comprends rien à l'âme d'une jeune fille qui habite Java, mais qui a passé deux années de sa vie à Paris et à Londres.

Il faut que je me mette bien dans l'esprit qu'il y a des femmes qui sont cultivées, qui lisent des livres, qui aiment la poésie.

Je fus lâche et je n'osai pas dire ma profonde horreur de telles choses.

Eva fait partie de ces femmes cultivées. Il se trouve qu'un de ses serviteurs javanais est un descendant des anciens rois de Java, un jeune homme extraordinairement versé dans l'histoire et la littérature de son pays. Eva profite de ses grandes connaissances. Il dépose le soir sur sa fenêtre certaines poésies qu'il a copiées et qu'elle lit avant de s'endormir. Comme la fenêtre est haute, il s'aide d'une échelle. Quel mal y a-t-il à cela ?

Eva ne me cache pas que j'ai été très indiscret en allant frapper, la nuit, à la porte de son père. Son père fume l'opium et craint par-dessus tout que cela soit su de quelqu'un. Personne ne l'ignore parmi les serviteurs de la maison et même parmi leurs relations de Batavia, mais chacun fait semblant de l'ignorer et de croire à ses projets de canaux dont on lui demande des nouvelles et dont il fixe les tracés chimériques. Le mieux est donc pour moi, si j'ai du tact, de ne faire aucune allusion à ma visite nocturne.

Je me pique d'avoir du tact. Je ne parle de rien à M. Varoga. Il me serait du reste difficile de lui dire quoi que ce fût, car je ne le vois que pendant les repas et il disparaît toujours rapidement dès qu'ils sont terminés. Je remets à plus tard le soin de le détourner de l'habitude néfaste qui le rend si maigre et si jaune.

Mon père avait raison. Il faut toujours se conduire d'après les règles de la morale courante. Je suis récompensé de la manière dont j'ai agi par l'amour d'Eva, un amour qu'elle ne m'a pas dit, mais que je devine dans tous ses gestes.

LA ROBE DE LA PRINCESSE SEKARTAJI

Mon père avait peut-être tort, et il faut des règles nouvelles pour des êtres nouveaux. Peut-être y avait-il en moi une profonde et native perversité qui causa la série des malheurs que je vais dire. Peut-être ce qui arriva était-il écrit à l'avance et n'ai-je été que l'acteur d'une pièce déjà jouée dans l'esprit d'un Dieu ?

Le point de départ de tout fut le costume de la princesse Sekartaji. Quelle est cette princesse, quand a-t-elle vécu ? Il n'importe. Je crois même que ce ne fut qu'une favorite et que si le roi Ami Louhour la fit assassiner, il avait de bonnes raisons pour cela. Mais cette Sekartaji avait porté, sans doute dans quelque fête ou quelque cérémonie des temps anciens, un costume dont des peintures, célèbres à Java, avaient immortalisé le souvenir.

—Je veux que vous me voyiez aujourd'hui dans le costume de la princesse Sekartaji ! me dit Eva après le déjeuner.

C'était le lendemain du jour où j'avais essayé de parler à M. Varoga de mon amour pour sa fille et de mon intention de la lui demander en mariage.

Pressé de regagner sa chambre, il m'avait répondu évasivement et en riant. Il m'avait tapé sur l'épaule et il m'avait dit :

— Je parie que c'est ce dont vous vouliez me parler l'autre nuit. Demain, il sera grand temps pour traiter ce sujet. Je termine en ce moment mon projet du grand canal.

Et il se frotta les mains avec la satisfaction d'un homme qui va se livrer à un travail écrasant mais agréable.

Il avait gravi l'escalier avec légèreté, me laissant confondu d'étonnement du peu de sérieux que certaines familles accordent aux choses de l'amour, pourtant si graves.

Donc, je m'étais assis sous la vérandah, essayant de mâcher par distraction l'affreux siri de Java, quand une servante vint me prévenir qu'Eva avait revêtu le costume de la princesse Sekartaji et m'attendait dans sa chambre pour me le montrer.

Je gravis l'escalier, je longeai la galerie et je frappai à la porte d'Eva.

—Entrez, entrez donc, puisque je vous attends, me cria une voix joyeuse.

Les mousselines de gaze dorée de la fenêtre étaient tirées et un crépuscule secret baignait la chambre. Je ne distinguai rien d'abord, puis un petit rire m'avertit qu'Eva était allongée dans l'angle de droite sur des tapis de l'Inde, au milieu de coussins épais.

Je la considérai, béant de surprise, d'émotion et d'admiration.

La princesse Sekartaji devait vivre dans des temps où le sentiment de la pudeur n'était pas encore développé. Peut-être le roi Ami Louhour ne la fit-il mettre à mort que parce qu'elle donnait un mauvais exemple à son peuple par l'étonnante légèreté de son costume.

Eva était devant moi, à peu près nue jusqu'à la ceinture. Une résille de fine soie pourpre recouvrait seulement ses seins. Ses cheveux étaient entièrement rejetés en arrière et retenus par un peigne d'or massif dont le poids semblait l'obliger à tenir sa tête très haute, ce qui donnait à son profil une autorité inaccoutumée.

Un chelama-chindi azuré de Java s'enroulait autour de ses hanches, mais il était si souple et si transparent qu'il ne faisait que rendre plus vivante la ligne du corps. Les jambes étaient nues comme le torse avec des anneaux en forme de serpent qui firent quand elle marcha une imperceptible musique métallique.

Eva avait peint ses dents avec des lamelles d'or, selon un procédé usité encore par certaines bayadères de l'île Madura. Des sumpings étaient accrochés à ses oreilles. Elle avait frotté ses épaules, ses seins et ses bras avec une odorante poudre bleuâtre qui donnait à sa chair une couleur extra-terrestre. Elle était enveloppée par les spirales que dégageait un brûle-parfum où il y avait une huile aromatique chauffée. Quelque chose de surnaturel, plus voluptueux que les odeurs, plus secret que la lumière d'or tamisée, s'échappait de ce corps précieux.

— Le costume est rigoureusement exact, dit Eva sans ironie. C'est Djath qui l'a dessiné et reconstitué.

Alors, une ivresse s'empara de moi. J'aurais voulu presser cette forme délicate entre mes bras, respirer l'haleine de ses dents peintes, arracher le lourd peigne de la chevelure tressée sur le cou étroit et bleu.

Je tendis les bras, mais elle m'échappa.

— Vous voyez, j'ai même les noix d'arèque, dit-elle, faisant allusion à un événement inconnu de la vie lointaine de la princesse Sekartaji.

Elle tenait des noix dans la main. Sans doute aurais-je dû les prendre pour obéir à un rite que j'ignorais. Et comme je ne le faisais pas, elle se mit à rire et me les lança à la figure.

Je la poursuivis dans la chambre. Il me sembla que j'étais un chasseur qui voulait saisir un papillon. Elle tournait autour de moi avec un rire qui était devenu bizarre et son parfum, un parfum de chair mêlé à des essences végétales subtiles, me grisait.

Et c'est alors qu'au fond de moi la terrible pensée naquit, obscure d'abord, mais montant, se précisant parmi les vases ténébreuses de l'instinct.

Non, je n'étais pas le chasseur éternel que j'avais toujours été. J'étais une bête fauve en quête d'une proie. J'étais le tigre de la forêt de Mérapi, le tigre lui-même et je sentais ma mâchoire s'allonger démesurément et des longueurs de griffe au bord de mes doigts. J'étais devenu, dans la chambre parfumée d'huile aromatique, le tigre qui ne songe qu'à assouvir sa fureur de broyer de la chair.

Peut-être s'échappait-il de moi comme de la bête que j'avais rencontrée, une insupportable odeur de charnier, car Eva s'élança soudain vers la porte et l'ouvrit. Il me sembla qu'elle ne riait plus et elle dit :

— Je vais montrer mon costume à mon père.

Je la suivis dans la galerie et je descendis lentement l'escalier.

O Seigneur, si tu existes quelque part, garde l'homme de cette puissance irrésistible qui le pousse à la possession de son semblable féminin. Garde-le du parfum que dégagent les chevelures et le mouvement des bras et qui est plus enivrant que tous les alcools.

Délivre-le du goût de saisir les corps, de les serrer et d'y poser les dents comme font les bêtes fauves, car ce goût est plus dominateur dans l'âme que les sages conseils d'un père et le devoir d'agir avec délicatesse qu'on s'est imposé par la raison.

O Seigneur, garde l'homme de la teinte bleuâtre de la peau, source de souffrance, de la courbe délicate du cou, chemin du malheur, de la ligne fuyante des lèvres, cause de calamités.

LE TIGRE HUMAIN

Tout ce qui arriva ensuite fut vertigineux. Je crois me souvenir que je me suis assis dans un fauteuil à bascule et que j'ai allumé un cigare. Puis je l'ai éteint et aussitôt Eva a paru devant moi.

Elle avait un air autoritaire et décidé. Elle ne portait plus le costume de la princesse, mais une sorte de veston d'homme avec une jupe très courte qu'elle mettait pour monter à cheval. Je remarquai que sa poudre bleuâtre, hâtivement enlevée, laissait à sa peau une tonalité colorée en azur qui me fit penser à ces vestiges de rêves dont on garde confusément la mémoire après le réveil. Une de ses dents, sur le côté, avait aussi conservé un fragment de lamelle d'or.

Elle voulait faire une grande course à cheval, me monter la lamaserie de Kobou-Dalem, disait-elle.

Nous partîmes. Il n'avait pas été question de Djath. Ali nous accompagnait seul.

— La chance me favorise, dit une voix intérieure en moi où naissait et grondait déjà le désir de la bête.

Nous longeâmes d'abord une route mal tracée le long de la lisière de la forêt. C'est là que nous vîmes, assis sur une pierre, au pied d'un manguier, un être hideux, une sorte de squelette vivant parfaitement dessiné sous une peau parcheminée, avec une chevelure si longue, et si épaisse, que je me demandai aussitôt où elle pouvait puiser sa substance. Comme le singe que j'avais tué la veille, il tenait une mangue à la main.

J'allai, par manière de plaisanterie, lui faire signe qu'il était nécessaire qu'il en mangeât beaucoup pour grossir un peu, quand il se leva à ma vue et prononça, en me montrant du doigt, des malédictions que je ne compris pas.

— C'est l'ascète Chumbul, dit Eva. Il a dû entendre, hier, vos coups de fusil et il vous garde rancune d'avoir tué ses amis les animaux.

Je haussai les épaules et nous passâmes.

La route devint presque impraticable tellement elle montait et elle descendait parmi les lianes et les végétations de toutes sortes.

Nous nous trouvâmes brusquement en face de deux statues colossales représentant des personnages, prêtres ou dieux, je ne sais, agenouillés sous des fleuves de verdure avec des serpents entrelacés autour des bras.

— Ce sont les Rechas du temple qui est à droite, dit Eva.

Un peu plus loin, il y avait un éléphant de pierre entièrement caparaçonné et dont la trompe gisait sur le sol d'une manière tout à fait ridicule.

Je songeai à l'absurdité de cet antique peuple soi-disant civilisé, qui n'avait rien trouvé de mieux, comme signe de sa civilisation, que de reproduire en pierre des images d'animaux sur le coin du monde qui était le plus infesté de bêtes vivantes.

Voilà la lamaserie, dit avec admiration Eva, en désignant quelques misérables bâtisses de pierre qu'on distinguait dans les arbres à un endroit où aboutissaient des avenues tellement encombrées de végétation qu'il aurait été impossible de les franchir à cheval.

Je faillis pousser un cri de surprise. Nous croisions un petit groupe de personnages silencieux. Ils étaient vêtus avec des robes de coton rouge sale et portaient sur la tête un bonnet de même couleur. Ils entouraient un homme habillé à l'européenne, mais très simplement, dont je crus reconnaître le visage. Je remarquai que cet homme avait un chapeau de paille de couleur claire, maculé de boue qui rappelait, par sa forme, celui que j'avais perdu.

Eva s'était inclinée respectueusement ; je vis qu'elle se retournait de mon côté et qu'elle pressait son cheval. Naturellement, je pressai le mien et ce ne fut qu'après que je me rappelai l'homme que nous venions de rencontrer parmi les lamas. C'était le personnage qui m'avait été si antipathique dans la fumerie de Singapour.

— Je regrette, dis-je à Eva, de n'avoir pu dire à cet Hindou, ou à ce Mongol vêtu en Européen, combien son visage m'est désagréable et combien je suis écœuré par sa manière de caresser les lézards.

Eva leva les yeux au ciel.

— C'est aussi un lama, mais un lama voyageur, répondit-elle avec une nuance de vénération dans la voix. Il y en a parmi eux qui se sacrifient, s'arrachent au bonheur de la méditation dans leurs solitudes pour aider les autres hommes, ceux qui en ont besoin, les barbares comme vous et moi.

Je n'attachais pas d'importance à ces paroles, car le ténébreux désir m'habitait, il me versait des trésors de ruse, il mettait sur mes traits une hypocrite sérénité.

— Ne faut-il pas faire reposer un peu les chevaux ? dis-je avec douceur, au lieu de m'exclamer sur la stupidité des lamas qui se condamnent inutilement à habiter des lieux désertiques pour y adorer des dieux imaginaires.

— Nous ne revenons pas par le même chemin, répondit Eva. Nous allons contourner cette masse de forêts que nous avons sur la droite et nous nous arrêterons un peu dans un bois d'ébéniers que je connais. Nous ne serons plus alors très éloignés de la maison.

Eva avait l'air de connaître parfaitement le pays et cela m'ôtait le souci de ne pas m'égarer dans ces forêts uniformes.

Nous atteignîmes bientôt un lieu que l'on pouvait difficilement appeler un bois d'ébéniers, vu qu'il y avait, outre des ébéniers, des bambous, des aréquiers, des palmiers nibong et toutes sortes d'arbres velus, hérissés, formidables dont je ne connaissais pas le nom.

Mais Eva s'orientait très bien, c'était l'essentiel.

Nous descendîmes de cheval. Plusieurs vagues pistes aboutissaient à l'endroit où nous nous étions arrêtés.

Alors, mon cœur se mit à battre et je dis, sans regarder Eva, de la manière la plus indifférente possible :

— Ali pourrait garder les chevaux pendant que, pour nous délasser, nous marcherions sur un de ces sentiers. Voulez-vous ?

Je levai imprudemment la tête. Nos yeux se croisèrent pendant qu'elle disait, oui. Sans doute le reflet de la bête était sur mon visage, car elle hésita soudain et faillit changer d'avis. Puis elle eut un petit geste insouciant et supérieur qui me fit penser à mon geste à moi, lorsque je fais claquer mon fouet, au milieu de mes animaux.

Nous marchâmes assez longtemps. Je cherchais un endroit assez dépourvu de hautes herbes pour pouvoir l'inviter à s'asseoir sans qu'elle eût la crainte des serpents.

Rien de conscient ne subsistait en moi que la volonté de réaliser mon désir. Par un dédoublement inexplicable, j'avais honte de moi-même. Mais quand cette honte se faisait jour, je voyais le visage de Djath, sa bouche sensuelle et ses mains soignées aux ongles teints. Et puis une phrase entendue jadis, me revenait à la mémoire.

— Un homme ne doit jamais permettre à une femme de jouer avec son désir.

Et alors une bouffée d'amour-propre me montait aux joues et je me sentais rougir en marchant.

— A quelle époque, exactement, a vécu la princesse Sekartaji ? demandai-je.

Cette date me laissait prodigieusement indifférent et je ne posais cette question que pour rompre le silence.

Eva dut comprendre la vanité de cette précision car elle me répondit :

— Quel métier émouvant que le vôtre ! J'aurais tant aimé dompter des animaux !

Elle ne savait pas qu'elle était en train de s'exercer à ce métier et que c'était un tigre humain qui marchait paisiblement à côté d'elle.

Le sentier s'était soudain élargi et nous étions arrivés dans une clairière. Une grande immobilité suffocante pesait sur la forêt et je percevais à mes pieds le grouillement des germinations, lent, fécond, sexuel comme le mystère de la vie.

Nous nous étions arrêtés. Je réfléchis à la manière la plus favorable de saisir Eva par derrière de façon à poser mes lèvres sur les siennes avant qu'elle se fût rendue compte de mon étreinte. J'envisageais comme vraisemblable l'hypothèse qu'elle serait jetée par ce baiser dans une ivresse absolue et que toute lutte serait inutile. Je laissai glisser à terre mon fusil que je portais en bandoulière et qui me gênait, en disant :

— Voulez-vous que nous nous asseyions ici ?

Mais ma voix, que l'émotion rendait pareille à un grondement, me trahit.

Eva se retourna, me vit avec mon masque bestial où affluait le sang, eut un petit rire énervé et, soit par plaisanterie, soit par véritable crainte, se mit à courir sur un sentier qui était, non en face d'elle ni sur sa droite, comme elle devait le prétendre ensuite, mais sur sa gauche.

Surpris, j'hésitai quelques secondes. Puis, je voulus la rattraper et je m'élançai sur ses traces.

— Cette fuite, pensai-je, est peut-être une coquetterie de plus. Mais elle ne se doute pas de la manière dont elle va être saisie quand je l'atteindrai.

La coquetterie d'Eva l'emportait très loin. Je ne savais pas qu'une femme pût courir aussi vite. Elle galopait, enivrée sans doute par sa propre vitesse et l'air chargé de miasmes végétaux et pendant qu'elle courait j'entrevoyais la perfection de ses jambes minces et mon désir augmentait. Je m'identifiais à nouveau avec le tigre poursuivant sa proie, je soufflais comme lui et cette identification était si complète que parfois je me surprenais à faire des bonds à son exemple, ce qui retardait ma course.

Eva allait au hasard. Elle prenait un sentier, puis un autre et je ne sais combien de temps cela aurait duré et si je serais parvenu à la rattraper quand je butai contre une racine d'arbre et tombai. La sourde exclamation que je poussai alors la fit s'arrêter et revenir sur ses pas.

— Vous êtes-vous fait mal, me dit-elle avec une voix curieuse, qui ne révélait aucune commisération.

Non, je ne m'étais fait aucun mal. J'étais vexé. Eva n'avait plus peur. Un tigre ne doit pas tomber.

— Il me semble que nous sommes allés bien loin. Je voudrais bien retrouver mon fusil.

Et alors, nous nous regardâmes, saisis de la même appréhension. Est-ce que parmi ces clairières et ces sentiers semblables les uns aux autres, nous allions pouvoir retrouver notre chemin ?

J'en émis le doute à haute voix tandis qu'Eva gardait sa crainte pour elle. Elle haussa même les épaules.

Je pouvais être tranquille. Elle avait un sens admirable des directions.

Je me rappelai alors que ma boussole était restée dans un petit sac de cuir attaché à l'arçon de ma selle.

Après une demi-heure de marche nous n'avions pas retrouvé la clairière où j'avais si follement déposé mon fusil et j'exprimai à Eva mon assurance que nous devions lui tourner le dos.

Une longue discussion s'engagea pour savoir si le sentier qu'elle avait pris quand elle avait commencé à courir était sur la droite, ou sur la gauche, par rapport au sentier par lequel nous étions venus en quittant Ali et les chevaux.

Eva prétendait qu'elle avait tourné à droite. Je disais que c'était à gauche. Nous nous persuadâmes en partie réciproquement et nous finîmes par nous rallier tous deux à l'hypothèse que le sentier suivi au moment de l'abandon du fusil était juste en face de nous.

Quand nous eûmes marché assez longtemps dans la direction choisie par Eva et qui n'était pas celle que nous venions de juger bonne, il nous apparut que nous étions dans l'erreur. Eva me reprocha de l'avoir poussée par ma folle insistance à prendre un sentier qui ne menait nulle part et elle voulut se diriger par un nouveau sentier de son choix. Ce sentier aboutissait à des amas d'énormes rochers que nous n'avions pas rencontrés jusqu'alors.

Et soudain une coloration saphir glissa furtivement, tristement parmi les bois et annonça la venue de la brusque nuit.

Nous étions irrévocablement perdus et l'absence d'arme à feu nous empêchait de signaler à Ali de quel côté nous nous trouvions. Je crois, d'ailleurs, que nous avions franchi une assez grande distance pour que nous ne puissions entendre les coups de feu qu'il pouvait tirer. Nous prêtâmes l'oreille en vain. Seules les voix odieuses de mille animaux, sifflements de haine, jacassements ironiques, glapissements satisfaits, retentirent sous les feuillages.

Alors Eva affecta une gaîté qu'elle n'éprouvait pas au fond d'elle-même. Tout cela n'était pas bien grave. Nous dînerions avec quelques mangues et nous nous contenterions de leur jus pour nous désaltérer.

Ali ne rentrerait sans doute pas sans nous. Son père n'éprouverait pas une grande inquiétude puisqu'il saurait sa fille avec moi et Ali pour la garder. Il penserait que nous avions couché à la lamaserie. Au matin, je grimperais sur un arbre pour voir la direction du soleil et grâce à son sens inné de l'orientation, nous ne manquerions pas de nous retrouver.

En mettant tout au pire, en supposant que nous ne puissions rejoindre Ali dans la matinée, celui-ci reviendrait chez M. Varoga et une battue serait organisée, avec des coups de fusil et des bruits de gong, comme cela avait été fait déjà dans des cas semblables. L'unique danger consistait à passer une nuit dans la forêt, à la merci des bêtes sauvages. Mais j'avais des allumettes. Il suffisait de profiter des dernières lueurs du crépuscule pour trouver un espace découvert. Là, nous ferions un grand feu et nous pourrions nous reposer sans crainte et même causer agréablement avant de dormir.

Tout ce que disait Eva était juste, en somme, mais elle ne tenait pas compte du fauve qui ne craint pas les flammes, de la bête intérieure de l'âme.

LE TEMPLE DE GANÉSA

—Je me reconnais parfaitement, dit Eva, en voyant des débris de colonnes, des pans de murailles écroulés émergeant sous les verdures. Nous sommes revenus sans nous en douter au temple de Kobou-Dalem. Les Rechas doivent être là.

Les Rechas ! Il n'y avait pas de Rechas. Eva fut obligée de convenir que nous ne nous trouvions pas en présence du temple de Kobou-Dalem, mais d'un temple entièrement inconnu et de proportions immenses.

Je pensai que nous pourrions y découvrir une salle, ou même une niche de Dieu qui nous servirait d'abri. Mais tout était trop grand et trop ruiné. Nous trouvâmes une sorte de galerie de pierre que nous suivîmes. La lune venait de se lever et nous permettait de ne pas buter contre les racines qui fendaient parfois les dalles, ou de ne pas tomber dans des excavations qui se creusaient subitement à nos pieds.

Eva courait devant et je lui criais sans cesse de prendre garde. Parfois se dressait un Bouddha énorme, un dragon aux formes singulières. Il me semblait que j'étais halluciné. Et, tout d'un coup, nous nous trouvâmes devant un large, un tournant, un prodigieux escalier de pierre, encadré de bas-reliefs. Nous en descendîmes les hautes marches pleins d'émotion et Eva me saisit la main, tellement était impressionnant le lieu central dans lequel nous arrivâmes.

C'était une cour, une grande place circulaire, entourée par la masse de l'édifice et où l'on parvenait par deux escaliers monumentaux dont nous avions descendu le premier. Cette cour était semée de colonnes renversées, de débris de statues. Nous y avançâmes lentement, Eva et moi, épaule contre épaule et ne nous lassant pas de regarder autour de nous, le monument qui devenait plus haut, plus redoutable, plus mystérieusement muet, à mesure que nous nous rapprochions du centre intérieur.

De tous les côtés se dressaient des entassements de corniches, de pyramides, d'animaux sacrés entremêlés de ci de là de l'éventail d'un palmier, du jet des bambous que la nature avait semés au hasard pour se rire du symétrique effort des hommes. Et dans ces architectures accumulées, il y avait d'innombrables reproductions de bêtes géantes : des buffles de granit, des serpents de marbre enroulés, des oiseaux fabuleux aux ailes déployées, en sorte que dans la solitude de cette nuit lunaire notre asile était peuplé par les images terrifiantes des bêtes que nous voulions fuir.

Ce lieu était cependant le plus sûr de ceux que nous pouvions trouver. Je déblayai au pied d'une colonne un espace assez étendu, je coupai des broussailles, j'en fis un tas et je l'allumai.

La flamme nous délivra de nos appréhensions. Elle me permit de distinguer que la base de l'édifice formait une série de niches régulières et que dans chaque niche il y avait un personnage humain assis, un personnage gros et court avec un ventre épais et une tête d'éléphant recouverte d'un bonnet pointu. Des centaines d'hommes de pierre à tête d'éléphant étaient assis dans des centaines de niches et nous considéraient silencieusement.

— C'est Ganésa, le Dieu de la sagesse, me dit Eva. Je ne suis jamais venue dans ce temple qui est abandonné depuis des centaines d'années. J'ai entendu parler de son existence. Nous nous sommes éloignés beaucoup plus que nous ne l'avions supposé, mais je me reconnais très bien maintenant.

Eva ne voulait pas renoncer au privilège de connaître les lieux où elle nous avait égarés.

Elle s'était étendue à quelque distance du feu sur un amas de branches de fougères et de feuilles sèches. Nous avions mangé des mangues cueillies dans la forêt et bu du lait de noix de coco. Nous fûmes envahis par le bien-être du repos physique et l'ivresse de l'immobilité.

Nous commençâmes par jeter de fréquents regards aux deux escaliers dont nous voyions les marches sombres se perdre dans les hauteurs du monument. Je sentais qu'Eva imaginait, comme moi, une lente descente du tigre monstrueux, se représentait ses yeux phosphorescents fixés sur nous. Elle prenait alors une poignée de branches et elle la jetait sur le feu pour que les flammes en montant missent leur incendie flottant sur tout le cirque ténébreux.

Mais, peu à peu, cette obsession s'évanouit et elle fit place à un bizarre attrait, une inexplicable attirance des formes obscures de la pierre, attirance que je sentais matériellement et qui me donna deux ou trois fois l'envie de courir vers les escaliers et de les gravir. Naturellement, je résistai à cette envie.

Eva, au lieu de s'endormir, se dressa à plusieurs reprises sur son séant comme si elle avait entendu un mystérieux appel, non pas un appel venant de loin et qui aurait pu être les cris d'Ali ou de gens partis à notre recherche, mais un appel proche, peut-être celui d'une voix venant du mystère même des antiques pierres.

— N'avez-vous pas entendu ? me dit-elle tout bas, dressée et anxieuse.

C'est ce mouvement qu'elle fit deux ou trois fois, ce mouvement inexplicable pour écouter ce qui ne résonnait pas, qui fut la cause de tout ce qui arriva.

Je jure que si elle s'était endormie paisiblement, pleine de confiance, j'aurais veillé sur son sommeil jusqu'à l'aurore. Mais elle se dressa, attentive, tout en me regardant du coin de l'œil avec des paupières demi-fermées. Ses seins tendus apparurent sous sa veste légère. Les épaules et le cou penchés en avant dans le mouvement qu'elle fit pour écouter révélèrent un caractère animal que je voyais pour la première fois. Il y avait dans toute la silhouette de son corps un je ne sais quoi de mouvant, d'inquiétant et de voluptueux.

Plus je me rappelle cette heure et plus je suis persuadé qu'il venait vers nous de la profonde forêt la hantise de la bestialité multiforme dont elle est le repaire ancestral.

Le cri des chacals, l'appel des oiseaux de nuit se répondant les uns aux autres, formaient un langage insensé qui donnait presque l'envie de marcher à quatre pattes, de ramper comme les serpents, de hurler comme les loups, de pousser des cris gutturaux et prolongés comme les hiboux nocturnes.

Le parfait équilibre de mes facultés m'empêchait de me livrer à ces folies. Mais je me surpris à me dandiner de droite et de gauche comme un ours, et Eva, dressée devant moi, eut tout à coup un autre aspect.

Je voyais à la clarté du feu ses narines frémir, ses seins monter et descendre. Sa bouche était plus rouge et me fit l'effet d'un peu de sang que je devais boire. Il me venait d'elle une tiédeur de corps humain plus enivrante que tous les parfums terrestres sortant des innombrables cassolettes des plantes et des fleurs.

Il y avait, dans sa manière de tendre le buste, une envie secrète d'être renversée, une offrande de sa peau bleuâtre. Son visage changea tout d'un coup d'expression, ses yeux perdirent leur lumière, le sang de ses lèvres palpita. L'esprit sembla la quitter en même temps que je le sentais disparaître de ma propre face. Nous ne fûmes plus à cette minute, que deux animaux, se flairant, se repoussant et se désirant.

C'est alors que je m'élançai sur elle. Cette attaque lui rendit-elle la raison ou la lui fit-elle perdre au contraire ? Je ne peux le savoir, je ne le saurai jamais. Je devais être hideux. Elle me repoussa avec force. Je voulus la saisir à nouveau, mais je ne pris que sa veste qui se déchira en même temps que sa chemise, dans le mouvement en arrière qu'elle fit. Cela découvrit son épaule et un de ses seins.

Que se passa-t-il alors dans l'âme d'Eva ? L'homme qu'elle aimait — car je suis persuadé qu'elle m'aimait, bien que je n'en aie jamais eu aucune preuve — lui parut-il plus redoutable que la forêt avec tous ses dangers ? Sa raison avait-elle été altérée par la crainte ? Entendait-elle une voix occulte l'appeler ? Y avait-il une influence magique dans ce temple abandonné ?

Je ne sais. Possédée soudain par une inconcevable légèreté, Eva s'élança à travers la cour, elle gravit un des deux escaliers monumentaux et disparut à mes yeux.

J'étais persuadé qu'elle s'était assise au haut des marches. Déjà, confus de mon action, je l'appelai à plusieurs reprises en lui demandant pardon. Comme je n'obtenais pas de réponse, je gravis l'escalier tout en lui rappelant qu'il était dangereux de s'éloigner du feu et en lui jurant sur la tête de ma mère bien-aimée que je ne recommencerais pas mon indigne tentative.

Ma surprise et ma perplexité furent grandes en ne la trouvant pas. Je criai de toutes mes forces pour la faire revenir. Rien ne me répondit. Alors, affolé, je me mis à courir sur le chemin de ronde qui domine le temple. Je tombai dans des trous, j'escaladai des statues. Je criais toujours.

Cela dura très longtemps. La lune disparut. Ma voix se brisa par l'effort que je faisais et je cessai de pouvoir faire résonner le nom d'Eva. Je la croyais toujours cachée et refusant de me répondre pour me punir. Plusieurs fois je pensai qu'elle était retournée auprès du feu et j'y revins pour repartir aussitôt et reprendre mes recherches.

Enfin, après une éternité d'attente, pendant laquelle je maniais machinalement les cendres du feu mort, j'aperçus, se découpant sur un azur livide, des silhouettes de cocotiers. Brusquement une lueur pourpre inonda le temple et je distinguai autour de moi tous les Ganésa à tête d'éléphant, dans leur immobilité dérisoire, leur indifférence abjecte, leur tristesse sans fin.

Eva n'était pas là. Je ne pouvais pas imaginer ce qu'elle était devenue et sa pensée occupait toute mon âme. Aucun son ne sortait plus de ma gorge épuisée.

Un grand vol d'oiseaux, dont je ne pus reconnaître l'espèce, s'éleva sur ma droite et raya le ciel avec lenteur. J'eus une grande sensation de froid physique et toute la terre m'apparut répugnante comme une étendue de marécages, d'eaux stagnantes peuplées de crocodiles.

Soudain, je me mis à tourner plusieurs fois, de plus en plus rapidement, comme un cheval dans un cirque, entre les murailles du temple, le long des figures muettes qui me tendaient inexorablement leur trompe.

Puis, je gravis un des escaliers, je traversai le chemin de ronde, je dégringolai parmi les murailles croulantes, les morceaux de portiques, les dieux informes, les galeries à demi ensevelies et je m'élançai droit devant moi dans la forêt.

LA DISPARITION D'EVA

Je dus courir très longtemps.

Plus je cherche à revivre par le souvenir cette fin de nuit dans le temple de Ganésa, plus je suis persuadé que l'inquiétude et l'absence de sommeil ne suffisent pas à expliquer cette pensée de démence qui me força à courir, plus je suis persuadé aussi qu'il y eut dans la fuite d'Eva une autre cause que la pudeur offensée ou la crainte d'un homme amoureux se jetant sur elle.

J'avais dû heurter un tronc d'arbre, tomber et m'évanouir. Quand je me réveillai, j'étais étendu sur le sol et je fus frappé tout d'abord par la sensation d'une coiffure pesante qui encerclait mon crâne. Je fis le geste de me découvrir ; mais j'étais nu-tête. J'avais seulement sur le front une bosse énorme, presque pareille à une corne. J'étais au milieu d'une clairière, sous une lumière assez vive et je calculai que la journée devait être assez avancée.

Les événements qui s'étaient écoulés depuis la veille me revinrent avec horreur, mais il m'apparurent comme reculés dans un passé lointain.

Il y avait deux perroquets sur une branche qui, de temps en temps, laissaient tomber quelques sons grotesques. Une espèce d'antilope de petite taille montrait son museau frémissant parmi les feuilles. Malgré mes préoccupations, mon instinct de chasseur me fit regretter de ne pas avoir de fusil.

Je fis un grand effort pour atteindre ma montre. Elle était arrêtée.

Je m'aperçus que j'avais pris dans ma poche, en même temps que ma montre, une poignée de fourmis. J'en avais un peu partout, sur mes vêtements, et je les regardai longtemps courir en file le long de mes jambes et de ma poitrine. J'étais ravagé par une sensation de soif et je demeurais là pourtant, sans presque bouger, près des perroquets et de l'antilope au milieu des fourmis, remettant à plus tard le moment de l'action.

Et soudain, le museau disparut et il y eut un glissement rapide parmi les feuilles. En même temps, les perroquets s'envolaient. Je supposai aussitôt que les sens de ces animaux, plus subtils que les miens, avaient eu la perception d'un danger. Lequel ? Je pensai tout de suite au tigre.

Ce qui effrayait une antilope et des perroquets devait effrayer aussi un homme épuisé qui avait une corne sur le front. Mais une singulière apathie s'était emparée de moi. Je continuai à demeurer sans mouvement.

Et alors, très loin, à travers les profondeurs de la forêt, très triste, très déchirant, j'entendis un bruit qui grandissait. C'était quelque chose d'analogue à ce que j'avais entendu dans mon enfance, pendant certaines fêtes populaires de Singapour. Il y avait des tam-tam, des gongs et parfois une salve de coups de fusil, puis un long cri qui se prolongeait comme une mélopée aux notes désespérées.

Je compris tout de suite ce que c'était. On était à notre recherche. Des hommes venaient de mon côté avec les armes et les voix qui sont leur privilège béni. Mais certaines tristesses de l'enfance sont si nostalgiques que tout ce qui les rappelle étreint douloureusement le cœur. Le salut me venait avec un chant de foire, une évocation de feu d'artifice et de port pavoisé par mille lanternes. Je me levai sans enthousiasme.

Je retombai aussitôt, m'apercevant que j'avais le pied foulé.

Et alors, une heure interminable s'écoula, peut-être plusieurs heures. Des oiseaux passent au-dessus de ma tête, des bêtes fuient. Le cortège des sauveteurs avance lentement. Ils sont peu éloignés maintenant. Mais je ne peux les appeler, ma voix est toujours brisée et je suis incapable d'émettre un son.

Parfois il y a un silence. La mélopée meurt. On doit recharger les fusils. Peut-être l'heure du retour a-t-elle sonné et ceux qui venaient vers moi changent de direction ou s'en retournent en arrière.

L'attente est tellement longue que je m'y résigne presque.

Qu'ils repartent! Je vais me coucher sous cet arbre et me rendormir.

Et tout d'un coup je m'élance sur un pied, saisi par la frénésie de retrouver mes semblables et je saute d'un arbre à l'autre m'appuyant sur les troncs et faisant l'effort inutile d'articuler des cris d'appel.

Un grand fracas de gongs résonne à mes oreilles et je suis soudain empoigné au milieu du corps par Ali le Macassar. Une vingtaine de Javanais m'entourent et je vois leurs yeux fixés sur la bosse de mon front.

— Eva? dis-je aussitôt. Aucun son ne s'échappe de mes lèvres, mais chacun comprend et a l'air de me poser la même question.

Eva, m'explique-t-on, n'a pas été retrouvée encore, mais peut-être l'autre battue que dirige M. Varoga, de l'autre côté de la forêt, a-t-elle pu la rejoindre et la ramener saine et sauve.

Si l'on songe à la prodigieuse agglomération de vie en mouvement que renferme une forêt équatoriale il ne paraît pas étonnant qu'un être humain puisse y disparaître sans laisser aucune trace. L'on est même surpris qu'un être vivant puisse la traverser et en ressortir sans avoir été désagrégé, assimilé, bu par les tentacules, par les mandibules, par les pompes, par les milliers d'organes animaux ou végétaux dont est recouvert ce corps multiforme.

Si l'on tombe et si l'on perd connaissance, il faut un miracle pour se réveiller vivant, miracle qui se produisit pour moi. Je l'attribue à mon magnétisme de dompteur de bête qui dut, dans cette circonstance, écarter les fauves.

Il y a les fourmis, il y a les termites qui, en quelques heures, réduisent un corps à l'état de squelette d'une propreté parfaite. Il y a les chacals qui sont avertis non seulement de la mort d'une créature, ce qui pourrait être expliqué par l'odeur, mais de son état de maladie, même de faiblesse ou de découragement.

Ils ne suivent pas le chasseur qui rentre chez lui tranquillement par un sentier connu, tandis qu'ils viennent de tous les points de la forêt derrière celui qui s'est égaré, comme s'ils avaient été informés par quelque message occulte de son inquiétude.

Il y a les vautours pleins de patience qui guettent l'immobilité définitive. Il y a les panthères et surtout les tigres qui provoquent cette immobilité par la formidable massue de leur patte. Ceux-là jettent, avec légèreté, la proie sur leurs épaules et ils l'emportent, pour la casser et la dépecer à leur aise, dans d'inextricables fourrés, dans des lieux inaccessibles aux pas des hommes où jamais on ne les retrouve.

Il y a les tigres et dans la forêt de Mérapi il y avait surtout le Tigre.

Personne n'en parla pendant les fébriles recherches de ces dix terribles journées, de ces dix nuits qui furent sans sommeil, même pour un tempérament comme le mien qui a reçu le don réparateur de s'endormir avec facilité.

Chacun y pensa sans cesse et formula intérieurement l'horrible hypothèse pour la rejeter aussitôt formulée. Mais je dois dire qu'aucun indice matériel, aucune trace de lutte, aucun fragment de robe déchirée ne put jamais donner corps à cette hypothèse.

Les ouvriers de l'indigoterie, les habitants des villages qui dépendaient de M. Varoga et ceux des villages voisins se relayèrent avec un dévouement parfait.

Le canon ne cessa de retentir. Le résident de Djokjokarta envoya un officier et un détachement de soldats de la garnison hollandaise pour multiplier les battues. Il vint lui-même, le quatrième jour, et je fis, pour la centième fois, le récit de la fatale nuit, omettant naturellement dans ce récit le mouvement d'animalité qui m'avait jeté vers Eva, ma lutte avec elle, sa veste déchirée et son sein découvert.

J'étais dévoré de remords. Mais chacun aime à se persuader de ce qui lui est le plus commode. J'avais fortement enfoncé dans mon cerveau l'idée que je n'étais pour rien dans la fuite insensée d'Eva.

Elle avait écouté à plusieurs reprises des appels venant on ne sait d'où et que je n'avais pas entendus. C'était là la cause mystérieuse du mal.

Je me donnais raison à moi-même en me rappelant les coquetteries d'Eva. Une jeune fille qui s'est montrée délibérément à demi-nue dans un costume de princesse, qui va voir un second de navire dans son hôtel et sort de chez lui par une échelle, qui reçoit un jeune Javanais, la nuit, dans sa propre chambre, ne peut être effrayée par le désir d'un homme amoureux et par un sein dénudé devant lui.

De toutes façons, je l'avais rappelée aussitôt en lui demandant pardon. La cause de sa fuite ne pouvait être la crainte d'être prise auprès du feu, sur les feuilles de fougère, par l'homme qu'elle aimait. Il y avait une cause occulte, un mystère où quelque magie était mêlée et j'attribuais, sans me l'expliquer, l'influence néfaste qui avait agi sur Eva, aux figures animales de pierre, aux hommes à tête d'éléphant du temple de Ganésa.

La douleur de M. Varoga était d'un ordre silencieux. Il avait vieilli brusquement. Il répéta plusieurs fois quand je formulai devant lui mes hypothèses :

— Ma fille était si bizarre !

Puis il haussa les épaules comme s'il venait d'entendre les discours d'un homme borné.

Il passait son temps dans la forêt. Je suppose que le manque d'opium contribuait à lui donner une étonnante fébrilité. Je voyais qu'il se retenait sans cesse de se précipiter dans sa chambre pour aller fumer. Deux ou trois planteurs de ses amis qui connaissaient ses habitudes et qui savaient combien peut être dangereuse la brusque privation d'opium, l'exhortèrent, à plusieurs reprises, devant moi, à monter chez lui. Le tracé d'une carte hydrographique, lui dirent-ils bienveillamment, serait un excellent dérivatif à sa douleur.

Il ne voulut pas. Il répondit qu'il ne s'était que trop occupé de cartes et de canaux et qu'il avait délaissé sa fille. Il voulait dire par là qu'il n'avait que trop fumé.

La perte d'un être cher commence toujours par être une source de remords.

Je vis très peu Djath. Dans son ardeur de recherche, il ne rentrait plus le soir pour dormir. Je supposais qu'il allait me regarder d'une façon haineuse. Il ne me regarda pas. Il passa plusieurs fois à côté de moi sans me voir. Je crois qu'il m'avait effacé du monde. J'eus la sensation de n'être que du néant près de lui et j'en fus irrité. Mais je ne jugeai pas le moment propice pour le châtier. Je fus obligé, à cause de la même raison de convenances, d'ajourner aussi un autre châtiment.

Brisé par les fatigues d'une journée de recherches à travers la forêt et par la souffrance que me faisait encore endurer mon pied foulé, j'étais monté dans ma chambre après le dîner et je m'y étais assis très mélancoliquement près de la fenêtre.

La maison était pleine d'amis de M. Varoga, venus du voisinage, et d'officiers hollandais de Djokjokarta et même de Samarang, qui étaient accourus en apprenant la disparition d'Eva et nous prêtaient l'appui de leur inutile activité. Cela faisait une grande agitation dans la vieille demeure et il y avait même des tentes dressées sous les branches des banians centenaires.

Presque tous les bruits s'étaient éteints. Très loin on entendait, à espaces réguliers, des salves de coups de fusil que tiraient toute la nuit des postes organisés sur les hauteurs. Le canon de l'indigoterie s'était tu pour la première fois, faute de munitions. Il n'y avait pas de lune. Les ténèbres étaient compactes.

Un peu plus loin, une grande lanterne en fer forgé, suspendue à une branche de palmier, faisait un cercle rougeâtre. Je distinguai sous la vérandah la flamme d'un unique cigare. Il y avait avec le fumeur, dont je reconnus la voix et qui était un propriétaire de plantations de café, un autre homme qui ne fumait pas.

Malgré moi, j'entendis quelques-unes de leurs phrases et je pensai que c'était de moi qu'ils s'entretenaient, à propos de la disparition d'Eva. Mais l'ensemble de leur conversation qui ne me parvenait que par les fragments suivants me demeura tout à fait inintelligible.

— Je crois que c'est un homme complètement dépourvu d'intelligence… Une telle profession… La plus délicieuse des jeunes filles… Quelle imprudence de la part de M. Varoga… La responsabilité incombe à celui qui…

Le planteur de café lançait au ciel des bouffées de cigare et il semblait questionner son interlocuteur comme si celui-ci pouvait avoir des lumières spéciales sur le cas tragique d'Eva.

Je me penchai en avant et je vis que celui des deux hommes qui ne fumait pas avait sur la tête un chapeau de paille assez semblable à celui que j'avais perdu quelques jours auparavant, lorsque je m'étais mis à l'affût du tigre. Il parlait maintenant du temple de Ganésa. J'entendis ceci :

— Ganésa ou Paleyar ou Inahika, dieu de l'intelligence, des nombres, de la vérité, de la chasteté, car toutes ces choses se tiennent. Oui, un homme assis, à qui l'immobilité et la méditation ont fait un gros ventre, un homme qui a une tête d'éléphant, telle est l'image de la sagesse. Dans le règne animal dont nous sommes issus, nous puisons les vérités essentielles qui nous permettront de dépasser le règne humain.

C'est là le sens du symbole. La sagesse a une base animale. Fidélité, labeur obstiné, enthousiasme dans l'amour de ce qui est supérieur, que de nobles sentiments nous enseignent les bêtes !

Je retins ces phrases à cause de leur complète absurdité qui m'aurait fait éclater de rire en d'autres circonstances. L'homme au cigare posait des questions et l'autre répondait lentement avec une indifférence lointaine.

— Peut-être ! Peut-être ! disait-il. Le secret de tout est l'amour. Par l'amour on élève à soi les animaux, par la haine on se transforme à leur image. Dans les antiques reproductions de pierre du temple de Ganésa il peut y avoir une force enfermée par les sculpteurs sorciers d'il y a deux mille ans. Cette force a pu agir selon des lois qui nous sont inconnues.

J'étais tremblant d'émotion. Malheureusement, ce qui suivit fut dit presque à voix basse et il ne me parvint que des bribes de phrases.

— Non, pas Eva, assurément. Mais un dompteur, un homme qui ravit leur liberté aux bêtes, qui les tourmente, qui les fait souffrir. Il y a certaines natures basses qui agissent sur les êtres plus délicats de leur entourage. Ces natures puissantes sont protégées par leur propre bassesse. Elles ne souffrent pas du mal qu'elles dégagent et qui leur fait une cuirasse. Elles abaissent les autres sans même le savoir.

Je tombai presque de la fenêtre pour voir le visage de celui qui parlait, qui m'accusait sans preuves d'avoir causé la mort d'Eva par la bassesse de ma nature. Je sentais que, malgré son caractère peu raisonnable, cette accusation avait une part de vérité et cela augmentait ma fureur.

Les deux hommes s'étaient levés et je reconnus l'homme au chapeau de paille. Il faisait le geste de refuser un cigare que l'autre lui offrait en partant.

— Non, jamais de cigare, dit-il.

Je faillis intervenir et crier que c'était là une misérable hypocrisie, une fausse affectation de sobriété.

L'homme qui semblait avoir des connaissances si étendues sur le temple de Ganésa ne fumait pas le cigare, mais il fumait l'opium, c'était un misérable dévoyé, un coureur de fumeries, un habitué de bouges, c'était celui qui avait caressé si tendrement un lézard à Singapour, dans la rue du Chameau, après la porte du Tigre. Voilà ce que je faillis crier dans le silence de la nuit.

Et je faillis crier autre chose encore.

Ce soi-disant lama voyageur portait sur la tête mon chapeau en paille de Manille, qu'il avait trouvé, Dieu sait où ! mon chapeau que je reconnus fort bien quand il passa sous la lanterne qui se balançait un peu plus loin, à une branche de palmier.

Cet homme m'accusait d'avoir une nature basse et il portait mon chapeau sur la tête !

Je me fis à moi-même le serment de le retrouver quelque jour.

LE TIGRE PRISONNIER

Les jours passèrent. Le découragement s'empara des âmes. Les bonnes volontés s'usèrent. Le nombre des consolations diminua. On roula les tentes devant la maison. Les travaux abandonnés reprirent dans l'indigoterie.

Je voulus, avant de partir, revoir le temple de Ganésa et je m'y rendis avec Ali et une demi-douzaine de Javanais car il était convenu qu'on ne circulerait plus dans la forêt qu'en troupe nombreuse.

Tous les recoins du temple avaient été explorés. Il y avait mille traces du passage des hommes et il était vain d'y rechercher les traces d'Eva. La chose avait été faite dès le premier jour sans résultat.

Au milieu du jour le temple n'avait pas le même mystère que la nuit. Pourtant je le trouvai terrible avec sa forme impitoyablement circulaire, la régularité de ses escaliers, ses figures muettes. L'antique sagesse avait une apparence si diversement étrange qu'elle ressemblait à la folie.

Au moment où nous allions nous éloigner définitivement, je revins sur mes pas et j'examinai de près un des personnages à tête d'éléphant. Je vis qu'il avait quatre mains. L'une tenait une conque, l'autre un disque, l'autre une massue, la dernière une fleur de lotus.

Alors, je ne sais pourquoi, par vengeance peut-être, avec le manche de mon couteau je cassai un bout de trompe qui tomba misérablement sur le sol et quelques pétales de la fleur de lotus.

Ainsi l'homme n'était pas absolument vaincu par la pierre, puisqu'il avait le pouvoir de la mutiler.

Je n'informai M. Varoga de mon départ qu'à la dernière minute. Je voulais éviter de longs adieux attendrissants. Il n'ignorait pas que j'aimais sa fille et que j'étais aussi malheureux que lui. A ma grande surprise, il me quitta très froidement. Je supposai que l'individu qui portait mon chapeau avait dû me faire du tort dans son esprit et mon chagrin en fut très vif.

Je ne sais plus pour quelle raison Ali le Macassar resta une journée de plus que moi. Je devais l'attendre à Samarang où nous devions prendre le bateau ensemble.

J'étais invité à déjeuner par un officier de la garnison et c'est chez lui que j'appris la nouvelle sensationnelle qui mit aussitôt la ville en émoi.

Aux confins de la forêt de Mérapi, dans un des pièges que j'avais moi-même préparés avec l'art admirable que me permettait ma connaissance des bêtes, on venait de trouver le tigre monstrueux qui était la terreur du pays, celui qui avait enlevé deux femmes avant mon arrivée, celui que chacun soupçonnait, mais sans exprimer ce soupçon, à cause de son caractère affreux, d'avoir dévoré Eva.

Il ne pouvait y avoir de doute, paraît-il, c'était bien lui. On n'avait jamais vu un tigre de proportions si énormes et ceux qui l'avaient aperçu les premiers au fond du piège s'étaient enfuis à son aspect.

J'étais las. Je n'aspirais plus qu'à rentrer à Singapour. Il y avait un bateau en partance pour cette ville. Comme Ali ne m'avait pas rejoint le soir du jour fixé, je m'embarquai sans lui.

Ce fut Ali qui fit tout. Il n'y a aucun doute, si j'avais été présent, j'aurais immédiatement mis à mort le tigre d'une balle.

Mais Ali, se trouvant seul, fut grisé par l'orgueil de me représenter. Il crut qu'il avait le devoir de défendre les intérêts de son maître. En principe, M. Varoga m'avait promis la propriété du tigre si on le prenait vivant. Un tigre pareil représentait une valeur de trois cents roupies. Ali ne laissa pas détruire cette valeur par quelques coups de fusil. Il revendiqua la promesse faite et il donna à ceux qui voulaient tuer le fauve, un argument fort habile.

Il fallait faire souffrir le monstre qui avait si longtemps terrifié la région. Son maître s'en chargerait, n'avait-il pas de bonnes raisons pour cela ?

Et il clignait de l'œil, me raconta-t-il ensuite, d'une façon significative et que tout le monde comprenait.

Faire sortir un tigre d'un piège profond et l'enfermer dans une cage, paraît un problème compliqué pour des hommes ordinaires. C'est, en réalité, un jeu d'enfants. Il y avait des cages à Djokjokarta qui servaient au rajah pour ses combats d'animaux féroces dont il était un amateur célèbre. Ali en obtint une aisément. Il fit ensuite tout lui-même, aidé de quelques Javanais qu'il fut obligé de payer très cher, tellement était grande la terreur qu'inspirait le tigre.

Il nourrit l'animal, en attendant la venue de la cage, avec de la viande contenant des boulettes d'opium dosées pour qu'il ne soit ni excité, ni empoisonné par l'opium, mais jeté dans une sorte de léthargie. Il lui prit ensuite au lasso les pattes et le cou et on le hissa ainsi.

Le taciturne Ali se déridait pour raconter qu'il avait eu toutes les peines du monde à empêcher qu'on n'amenât le canon et qu'on ne le braquât sur la bête solidement attachée et à peu près endormie.

Il décrivait aussi avec fierté son départ triomphal de l'indigoterie et avec modestie son arrivée à Samarang où sa fidélité à mon égard avait été mise à l'épreuve. Le rajah de Djokjokarta lui avait dépêché un messager qui lui avait offert trois cents roupies, comme cadeau personnel, pour lui Ali, s'il avait consenti à vendre la bête. Le prix de celle-ci m'aurait été payé en plus.

Le mérite d'Ali avait été d'autant plus grand qu'il n'avait plus sur lui une pièce d'argent et qu'il ne savait comment faire pour passer à Samarang la semaine entière qui devait s'écouler avant le départ d'un bateau pour Singapour.

Il s'était souvenu, heureusement, du nom de mon banquier de Batavia et il avait été assez avisé pour aller trouver son correspondant à Samarang qui lui avait fait aussitôt les avances nécessaires.

Il avait eu encore beaucoup de mal au moment du départ.

Un vieux commandant d'infanterie hollandaise, qui vivait à Samarang et qui avait des crises d'alcoolisme, s'était mis en tête de tuer le tigre à coups de revolver, prétendant qu'il était honteux de le laisser vivre, après le drame qui venait de se dérouler.

Ali avait été obligé de passer les trois dernières journées et les trois dernières nuits à côté de la cage du tigre et de ne pas le quitter un instant.

Je me souviens de la singulière impression que j'éprouvai lorsque Ali, qui venait de veiller dans le port au débarquement de la cage, l'amena devant la porte de ma maison.

Le soir allait tomber. Il y avait une fête chinoise en l'honneur de je ne sais quel sage de la Chine, et comme mes jardins sont en limite du quartier chinois, l'air retentissait d'un bruit de pétards, de détonations et de musique de raga.

Des enfants criaient et chantaient et l'ensemble ressemblait à ce que j'avais entendu dans la forêt de Mérapi, quand je m'étais réveillé solitaire, avec une bosse au front et une poignée de fourmis dans la main.

La voiture qui portait le tigre s'arrêta devant la porte. Elle était conduite par des chevaux habitués aux fauves et qui ne les craignaient pas. Le tigre était silencieux. La cage était recouverte d'une bâche de toile pour que la vue du fauve, dont on avait parlé dans Singapour, n'ameutât pas toute la population.

Malgré cela, il accourut une foule de Chinois en liesse qui firent un vaste demi-cercle. Ils riaient, comme ils ont l'habitude de faire pour toute chose. Ali, qui avait conscience de l'importance de son rôle voulut plaire à la foule, et juste au moment où attiré par le bruit de la voiture j'apparaissais sur le seuil de la porte, découvrit la toile.

Le tigre était couché et ne se souleva pas. La vaste rumeur qui monta des Chinois, stupéfaits à sa vue, ne sembla pas l'intéresser. Dans la demi-obscurité, il fixa sur moi seul ses yeux phosphorescents, étranges, immenses, ses yeux que je reconnus pour les avoir contemplés par un crépuscule semblable.

Rien ne put détourner son regard, ni les enfants qui essayaient de le piquer avec des baguettes, ni les cahots de la cage quand elle franchit la porte. Lui aussi, m'avait reconnu.

Il me sembla qu'il éprouvait la même tristesse que moi, qu'il y avait dans le balancement de son cou une fatigue analogue à la mienne. Nous ressentions tous les deux la même angoisse misérable des êtres qui vont engager une lutte sans pardon et qui portent le fardeau de leur propre férocité.

Malgré la cage, les fouets, les pieux, je ne me sentais pas le plus fort dans cette lutte. Il y avait un élément qui m'échappait, une arme inconnaissable que je pressentais en la possession de mon adversaire et, pendant que la cage roulait parmi les autres cages et que les Chinois criaient de joie, j'étais triste, horriblement triste, de toute ma haine contre les bêtes que j'allais si justement concentrer contre cette bête plus féroce que les autres.

DEUXIÈME PARTIE

LES YEUX DU TIGRE

Je me suis toujours considéré comme très intelligent parce que je me suis gardé des livres et de la culture et que mon esprit s'est développé sous l'influence directe de la vie, mais je n'ai jamais pu dire avec certitude si le fond de ma nature est vraiment bon.

Il est difficile d'établir dans l'âme d'un homme la différence entre la bonté et la méchanceté. On est bon avec certains êtres, mauvais avec d'autres. Les sentiments généreux sont relatifs à la façon dont on a dormi ou digéré son repas.

Je ne sais pas si je suis bon, mais je sais que possédé par la passion de la vengeance, je m'abandonnai à cette passion avec la même ardeur que si elle avait été un devoir.

Ali le Macassar n'avait pas trompé les indigotiers de M. Varoga, les malheureux habitants de la vallée de Mérapi. Son maître, le dompteur, avait de bonnes raisons pour faire souffrir le tigre captif, le tigre géant, le tigre unique de Java.

Je commençai par l'enfermer dans la plus solide, la plus épaisse cage que je possédais, car les animaux sauvages trouvent dans certains accès de fureur des réserves de force inattendues.

Son étonnante mâchoire allongée sur ses pattes de devant, le tigre s'obstinait à demeurer immobile et silencieux et il plongeait son regard dans le mien, dès que j'apparaissais devant lui. Pour le forcer au mouvement et le faire tourner dans sa cage, je le privai d'abord de nourriture, car le premier effet de la faim chez les fauves est l'ancestrale poursuite de la proie.

Quand je l'eus affamé, je l'assoiffai pendant des jours. Mais comme s'il comprenait mon désir et s'il était résolu à ne plus le satisfaire, il se recoucha, après des milliers de tours, et il se mit à souffler sinistrement, sans me perdre de vue.

Je fus saisi du besoin impérieux de l'entendre rugir. Je le réveillais dès qu'il s'endormait en lui donnant des coups avec une barre de fer. Mais il se contentait de grogner, et c'est moi qui éprouvais la rage que je voulais lui communiquer.

Alors, je me fis apporter une lance malaise et je lui trouai une patte de part en part. Il rugit enfin. Ce rugissement couvrit toutes les voix de bêtes, emplit mes vastes jardins convertis en ménagerie, retentit dans les rues avoisinantes. Mais ce rugissement terrible, ce cri de douleur et de fureur impuissante n'eut pas parmi les autres animaux, l'effet d'épouvante qu'engendrent d'ordinaire les voix des lions ou des tigres.

Le soir de la patte trouée, comme si elles avaient répondu à un ordre, toutes les bêtes s'éveillèrent dans toutes les cages, une communication s'établit, un souffle de révolte passa.

Les singes bondirent, se suspendirent par leur queue, lancèrent des morceaux de noix de coco à travers les barreaux, jacassèrent furieusement en montrant les dents. Les condors des Andes ouvrirent leurs ailes comme s'ils allaient s'envoler vers leurs terres lointaines. Les aigles étirèrent des ongles démesurés. Le tapir se mit à renifler stupidement. Les pecaris se heurtèrent les uns les autres, l'ours dansa les bras en croix ; une sarigue, oubliant tout sentiment maternel, lança son petit contre la muraille de sa cabane ; les gavials firent claquer leur mâchoire hors de la vase des bassins grillés ; les fourmiliers fendirent l'air avec la projection de leur langue ; les hyènes ricanèrent ; les tortues coururent dans le jardin, tirant de leur carapace une mince tête inaccoutumée ; les serpents endormis se dressèrent et firent craquer leur peau ; les panthères répondirent aux jaguars ; une girafe caracola au hasard en lançant des coups de pied ; deux éléphants apprivoisés se mirent à barrir désespérément comme aux jours de rut et même des puces savantes, qui étaient dressées par une nièce d'Ali, firent des sauts si prodigieux qu'elles disparurent à tout jamais dans les herbes.

Tous les gardiens furent sur pied en un instant. Les fouets claquèrent. Quelques revolvers partirent. Les cornacs des éléphants accoururent. L'ordre fut rétabli avant la venue de la nuit et il n'y eut que les puces de perdues.

Mais je ne pus comprendre ce qui était arrivé et ma fureur s'accrut de cette sorte de complicité que je sentais autour de moi entre les bêtes.

J'en arrivai, au bout de quelque temps, à être comme hypnotisé par le tigre. Je pensais à ses yeux phosphorescents en m'éveillant, je croyais les voir devant moi et je m'habillais à la hâte pour courir dans le jardin, réveiller le tigre avec la lance ou un fer rougi et fixer ses yeux, les fixer inlassablement.

Cette envie de regarder le tigre devint une hantise, une torture quotidienne si grande que j'en souffrais physiquement. Mes traits se tirèrent et je maigris sous l'empire de cette obsession.

Pour m'en débarrasser, je conçus, d'accord avec Ali, le projet de crever ces yeux maudits, ces énormes yeux magnétiques. Je fis forger deux pointes d'acier séparées entre elles par une largeur à peu près égale à la tête du tigre et je les assujettis au bout d'un épieu, de façon à pouvoir d'un seul coup détruire les deux prunelles verdâtres, les deux prunelles émeraudes, couleur d'eau, couleur d'absinthe en mouvement.

La cruauté de cette action ne m'apparaissait pas trop grande, de même qu'elle semblait normale à Ali, car nous pensions tous les deux à nos angoisses des jours précédents, quand nous fouillions la forêt de Mérapi au bruit des tam-tam, nous pensions à Eva errante et à son corps sans doute déchiré par le monstre dans quelque tanière inaccessible.

D'un seul coup ! Je voulais que ses deux yeux soient crevés d'un seul coup ! Quand la lance à double pointe fut prête, je profitai d'une heure où le tigre avait son mufle allongé sur ses pattes, face à moi et où il me fixait avec ses immenses prunelles couleur de l'envers des feuilles du palmier nibong et de certaines étoiles, par certains automnes clairs.

Au lieu de me fier à moi-même, j'eus l'absurdité d'écouter Ali qui prétendait avoir appris depuis sa plus tendre enfance à jeter la lance et être sûr de ne pas le manquer. Je lui confiai le soin de la crevaison des yeux.

Le tigre dut comprendre. Malgré la rapidité du mouvement d'Ali, il fit un mouvement de la tête en se dressant et une seule pointe s'enfonça profondément dans un de ses yeux, dans l'œil gauche.

Le rugissement qu'il poussa fut effroyable, mais il n'y avait dans ses sons qu'une douleur désespérée et la ménagerie autour du tigre, désormais borgne, resta silencieuse.

Il s'était dressé sur ses pattes de derrière, entraînant la lance et dans le mouvement qu'il fit, il retomba sur le bois de l'arme et le cassa net.

Ali voulait recommencer, mais je l'en empêchai. Le spectacle de cet œil ouvert était trop atroce. Puis je sentis tout de suite que le magnétisme dégagé par deux yeux fixes avait disparu et qu'il ne pourrait plus se dégager par un seul.

J'étais délivré et je voulais que le tigre gardât la faculté de reconnaître, à travers les barreaux de sa cage, son maître et son bourreau !

LA SOUFFRANCE DES BÊTES

Ma haine pour les bêtes augmenta d'autant plus que je la consolidai de tout mon amour pour Eva et de mes sentiments de piété filiale.

Je fis venir de Malacca une vieille Malaise, célèbre pour sa connaissance des poisons, et je lui achetai quelques-uns de ses secrets. Je tirai, avec sa collaboration, de certaines herbes et des huiles de certains poissons, des substances vénéneuses qui avaient la propriété de faire souffrir, sans causer la mort.

Avec une joie amère et profonde, je fabriquai des mélanges subtils, je composai des ingrédients dévorateurs d'intestins animaux et je les glissai dans des boulettes de farine soigneusement cuites. J'empoisonnai tous mes serpents.

J'en avais une incomparable collection.

Je possédais des orvets délicats, de couleur métallique avec des reflets d'étain et de cuivre ; des typhlops pareils à des aiguilles et si petits qu'on les aurait pris pour des vers, s'il n'y avait pas eu le bruit de leurs crocs minuscules ; des pythons pareils à des troncs d'arbres ; des eryx de Thébaïde avec des plaques jaunes et noires régulières qui faisaient penser à un damier roulé autour d'un bâton ; des amphisbènes au corps cylindrique et à la tête obtuse ; des cobras de toutes sortes ; des najas à coiffe ; des serpents cornus ; des serpents à lunettes ; des serpents danseurs et un tortrix phénomène avec une langue démesurée dans une tête de mouton.

Très peu moururent. La science de ma vieille femme de Malacca était grande. Je ne pus malheureusement contempler, comme je le désirais, les souffrances de mes ennemis ophidiens. La douleur provoquait des bondissements, des soubresauts redoutables. Il fallut attacher avec des cordes les couvercles des baquets où vivaient les serpents et je dus me contenter du bruit des sifflements et du désespoir des coups de queue.

Les enfants de Singapour obtenaient une pièce d'argent par tête de crapaud qu'ils m'apportaient. J'en avais réuni un grand nombre. Je venais d'acheter au maître d'équipage d'un vaisseau qui arrivait d'Amérique, une famille de pipas qui sont de curieux crapauds à tête triangulaire, avec un long cou doué d'une certaine sveltesse.

Je leur fis subir le même sort qu'à mes serpents.

Ali ayant enfermé par hasard dans une cage un de ces pipas avec une grosse couleuvre, je fus témoin de la terreur du pipa qui allongea son cou tremblant jusqu'à le briser et mourut d'épouvante, avant d'être absorbé par la couleuvre.

Cela me donna l'idée d'un nouveau supplice ; celui de l'épouvante.

J'enfermai les faibles avec les forts, je mis face à face des victimes et des bourreaux. Je fis manger les crapauds par les serpents. Puis je livrai mes serpents à mes jabirus à long bec, à mes savacous à bec large et court, à mes marabouts au bec en couteau, à mes agamis au bec en fer de sabre. Je me délectai au craquement des épines dorsales, au froissement des écailles, au broiement des têtes plates.

Mon esprit subit une singulière évolution.

L'œil sanguinolent du tigre, la mort des serpents et des crapauds, après la douleur du poison, cela ne me parut pas suffisant. Je voulus faire souffrir toutes les bêtes, car je sentais qu'il y avait un lien de parenté étroite entre les espèces les plus différentes.

J'enflammai, une fois, le plumage d'un héron qui m'avait déplu et je le fis courir comme une torche oiseau dans une cour où je l'avais enfermé.

Je fus irrité, jusqu'à en être réveillé la nuit, par l'intelligence d'un couple de singes cynocéphales du Siam et de leurs enfants.

Ils étaient de grande taille. Ils habitaient une hutte au fond du jardin, buvaient et mangeaient à la manière des hommes, faisaient de petits travaux sur les indications de mes employés, étaient toujours aimables et doux. Chaque soir, à la minute où le soleil disparaît sur les rochers des îles Carimons, chaque matin, au moment où il se lève sur les rivages feuillus de Battam et la mer de Chine, ils poussaient des cris, ils se tenaient debout et il y avait dans leurs gesticulations quelque chose de sacré qui faisait penser aux rites d'un culte primitif.

J'avais nié longtemps que des animaux pussent adorer le soleil. Je m'étais moqué des voyageurs qui m'avaient raconté que dans le haut Siam, ils avaient été témoins, à l'orée des grandes forêts, de véritables cérémonies cultuelles accomplies au lever du jour, par le peuple des singes.

Je vis de mes yeux, une scène qui ne me laissa aucun doute à cet égard.

Je m'étais levé un matin plus tôt qu'à l'ordinaire et j'eus l'idée de guetter ma famille de cynocéphales. Je les aperçus dans le crépuscule auroral, sortant de leur hutte et se disposant en demi-cercle silencieusement. Lorsque le premier rayon du soleil atteignit le sommet du plus haut palmier du jardin, le père de famille, dont les yeux étaient tournés vers le palmier, leva les deux bras et à ce signal ils poussèrent tous ensemble un cri où il y avait une gravité inaccoutumée.

Mais alors, soit par oubli des rites, soit par puérilité naturelle, le plus petit des singes, qui était un enfant, quittant la place qui lui avait été désignée, se mit à faire deux ou trois gambades et à se frotter plaisamment le dessus du crâne. Une grande consternation s'empara de toute la famille et le père saisissant son fils par le cou, du revers de la main lui administra une sévère correction, puis le lança dans la hutte où ses gémissements m'apprirent jusqu'au soir qu'il était enfermé par ordre paternel.

Je ne pensais jamais à Dieu et ne pratiquais pas la religion protestante dans laquelle j'avais été élevé, mais j'attribuais aux religions, en général, une supériorité vers laquelle je me refusais à m'élever. Je ne pus supporter l'idée que ces créatures de la forêt participaient d'un idéal que je m'étais interdit.

Le soir même, je déposai une jatte pleine de vin et d'alcool de riz au seuil de la hutte des cynocéphales et je recommençai le lendemain, et les jours suivants.

Les effets s'en firent sentir rapidement. Les singes vécurent dans l'ivresse et perdirent les qualités qui les faisaient aimer. Au lieu de provoquer l'admiration par leur vive intelligence et leur fantaisie ils devinrent des bouffons ridicules dont s'amusait tout le personnel de ma maison. Ils cessèrent de balayer et de faire des commissions. Ils se mirent à voler et leur douceur se changea en méchanceté.

Je vins les guetter à nouveau, au lever du soleil. Ils ne se tenaient plus droits. Ils ne poussaient plus de cris rythmés. Ils couraient en se donnant des coups réciproquement autour de l'auge vide où avait été le vin et ils en léchaient les parois. Le Dieu qui commençait à naître dans leur âme était mort.

Je souffris aussi à cause de l'amitié d'un affreux chien jaune, sans race, et d'un lion.

Un de mes employés avait mis le chien dans la cage du fauve pour voir comment il serait dévoré. A sa grande surprise, le chien n'avait montré aucune terreur et le lion aucune envie de dévorer cette proie. Ils avaient joué ensemble et dormi à la fin, l'un dans les pattes de l'autre. On parla de cette amitié dans Singapour et beaucoup de gens vinrent voir les deux animaux dans la même cage.

Comme le chien prélevait sa nourriture sur la part du lion, sans provoquer la moindre colère de son compagnon, il fit des excès de viande et contracta une sorte de gale. Je simulai pour cette maladie un profond dégoût et j'en pris prétexte pour faire tuer le chien.

Désireux de me prouver à moi-même que les animaux n'étaient pas capables d'un vrai sentiment amical, je me procurai, le lendemain, un chien jaune, de la même taille que le premier et à peu près semblable et je le fis placer dans la cage du lion.

Mais celui-ci entra dans une terrible colère. Il mit à mort, d'un coup de griffe cette caricature d'ami et il rugit longtemps désespérément à cause du souvenir de la bête galeuse que l'on avait arrachée à son affection.

Un castor apprivoisé s'était construit une habitation en terre d'un confortable extraordinaire. Il y avait transporté deux petits chats trouvés je ne sais où et il les avait élevés avec sollicitude. Mademoiselle Whampoa étant venue voir de nouveaux animaux que j'avais reçus d'Afrique, remarqua les petits chats qui étaient recouverts d'une fourrure splendide.

Je me hâtai de les lui offrir, non pour lui faire plaisir, car je trouvais que cette jeune Chinoise riche était ridicule par l'affectation de ses connaissances littéraires, mais dans le but de séparer le castor de ses enfants d'adoption. Elle emporta les petits chats. La maison des Whampoa était de l'autre côté de la rivière, derrière le quartier chinois. Une haute muraille la séparait du faubourg.

Il y avait le lendemain matin au pied de cette haute muraille un castor désespéré qui avait traversé Singapour en gémissant et que lapidèrent les enfants.

Je me plus à torturer des béos.

Les béos sont de petits oiseaux très rares qui ont dans leur plumage toutes les couleurs du prisme. Ils possèdent des nerfs d'une si incroyable délicatesse que la vue d'un peu de sang répandu suffit pour les faire mourir. Ils ont reçu le don de la connaissance musicale, et ils souffrent et tombent en pâmoison, s'ils entendent jouer faux.

J'en avais une demi-douzaine que j'avais payés très cher. Comme ils étaient originaires de la Chine du Nord, je pensai que la musique chinoise était celle à laquelle ils devaient être le plus sensibles.

Je louai un joueur de raga avec l'ordre de jouer aux béos des airs affreusement faux, de gratter son instrument d'une façon discordante. Les oiseaux musiciens crièrent d'abord comme s'ils étaient traversés par des aiguilles. L'un d'eux perdit la raison et se noya volontairement dans le bol où il buvait. Les autres expirèrent par le déchirement de leurs nerfs et je regardai avec satisfaction la mort parcourir ces petits arcs-en-ciel de plumes.

Ma haine des bêtes me poussa à augmenter ma ménagerie d'une collection de monstres comme si je trouvais dans la déformation des espèces animales une satisfaction à cette haine.

Je me procurai un cheval nain d'Islande et un de ces ânes rarissimes, nain aussi, qu'on ne trouve que dans les îles Andaman où ils vivent à l'état sauvage.

Ils étaient tous les deux de la hauteur d'un chien de moyenne taille. Le cheval avait une queue démesurée, l'âne d'extraordinaires oreilles qui tombaient presque sur ses pieds. J'achetai, au poids de l'or, un renard de l'Australie orientale dont la queue forme un large parasol velu sous lequel il dort, abrité du soleil ; une chauve-souris vampire dont la tête ressemblait à celle d'un philosophe chinois et qui avait de longues moustaches tombantes et une tortue platysterne de la rivière Tachylga qui avait un crâne dur comme une pierre et une carapace molle sur laquelle étaient gravés très nettement des caractères thibétains.

Ali le Macassar fit un voyage dans les Célèbes et à l'île Komodo, lieu sauvage où vivent encore des représentants d'espèces disparues. Il eut le bonheur de capturer un zanglodon, sorte de poisson-lézard qui peut courir sur deux petites pattes de derrière presque aussi vite qu'un homme, un stégosaure, sorte de poisson porc-épic à bec crochu et un moas, autruche ridicule avec des yeux exorbités et pareils à des boules de lait.

J'aménageai dans de vastes aquariums toutes les espèces curieuses de l'univers sous-marin, des scorpènes blanches et cornues, des pelors filamenteux, des monocentres du Japon, des rémoras à ventouses, des simoksokas à marteau, des narwals à épée, des lamentins avec des mamelles féminines et des ébauches de bras humains.

Mais j'apportais dans ma passion de collectionneur une volonté de déformation. Je coupai une oreille de l'âne nain, une seule ; je rasai un côté des moustaches de la chauve-souris vampire, un seul côté ; je dénaturai les caractères Thibétains de la tortue platysterne ; je sciai des cornes, teignis des poils et inventai des appareils pour déformer les fils des monstres et les rendre plus monstrueux.

Je crois qu'à cette époque de ma vie, la douleur causée par la mort d'Eva et ma soif de vengeance troublèrent un peu mon esprit. Je fis mille imprudences. J'entrai dans les cages des animaux les plus féroces, avec ma cravache pour seule arme. Je luttai corps à corps avec un ours blanc. Je fis travailler une bande de douze hyènes qui sont les bêtes les plus foncièrement stupides et mauvaises de la création. Je séparai deux jaguars mâles en train de se battre et il n'y eut que la cage du tigre de Mérapi où je ne pénétrai pas, car je savais avec certitude que mon pouvoir de maître expirait là et que, dès que j'en aurais franchi la porte, je serais déchiqueté en quelques secondes.

Et pourtant, je devins Panikia. Un Panikia est, comme chacun le sait, le détenteur d'une formule magique dont l'action s'exerce sur l'esprit de l'éléphant et qui, lorsqu'on en fait résonner les syllabes, cloue sur place cet animal, même s'il est sauvage, et le rend docile et fidèle.

On est Panikia de père en fils, en vertu d'un secret qu'on se transmet sous la garantie du serment le plus sacré. Comme le nombre des Panikia dans la Malaisie ne doit pas diminuer, en vertu d'un mystère qu'il est vain de vouloir expliquer, le Panikia qui n'a pas d'enfants doit choisir un homme qu'il estime pour lui confier son merveilleux pouvoir.

Un vieux Malais de Timor se trouvant très malade, fit le voyage de Singapour pour me transmettre la formule magique contre un serment et quinze roupies qui devaient servir à ses funérailles.

Je n'ai jamais cru à ces billevesées que sont les superstitions. Je donnai toutefois les quinze roupies au Panikia de Timor et gravai dans ma mémoire les quatre paroles et leurs intonations. Il est dit que celui qui les révèle est enchaîné à la volonté du premier éléphant qu'il voit.

Aussi, je ne les reproduis pas, car on ne sait jamais ce qui peut advenir dans le domaine des choses cachées, mais je me gardai intérieurement d'une sotte crédulité.

A quelque temps de là, on me proposa d'acheter un éléphant appelé Jéhovah qui passait pour avoir une nature assez rebelle et qui était couleur de cendres, ce qui lui donnait une grande valeur. On me l'amena, et je prononçai machinalement devant lui la formule du Panikia. A ma grande surprise, il plia aussitôt les genoux devant moi en faisant entendre un barrissement amical.

Le cornac, qui devait être d'une nature jalouse, se hâta de me dire que ce ploiement de genoux était la seule chose qu'il avait pu apprendre à l'animal. J'attribuai cette révérence de Jéhovah au fait qu'il avait reconnu un maître en ma personne et je l'achetai.

Ce Jéhovah rebelle et cendré s'attacha à moi de façon singulière. Il faisait entendre des plaintes quand je le quittais et lorsque j'apparaissais au seuil du hangar qui était son habitation il se livrait à des manifestations de joie extraordinaire qui ressemblaient presque à des danses.

Je pris l'habitude de ne sortir dans Singapour que sur son dos et comme il obéissait à mes moindres mots et me comprenait à merveille, je ne me faisais pas accompagner d'un cornac.

L'amour que Jéhovah me portait, l'étonnante intelligence qu'il manifestait pour obéir à mes ordres devinrent vite célèbres et me flattèrent tout d'abord. Mais il arriva que lorsque je descendais, vers six heures, parmi les cavaliers et les calèches à parasol, la grande avenue de palmiers qui mène à l'hôtel du résident, j'entendais de ma houdah de soie rouge, le nom de Jéhovah mêlé au mien dans la bouche des gens du menu peuple.

Cette sorte d'égalité dans la célébrité me déplut et je pris l'habitude de piquer de l'aiguillon mon éléphant toutes les fois que son nom résonnait à mes oreilles à côté du mien.

Ce traitement ne l'irrita pas parce qu'il venait de son maître bien-aimé et il le supporta avec patience.

Un jour que je traversais le faubourg chinois pour atteindre, par la route qui longe la rivière, la hauteur de Bukit-Timah qui forme la partie encore inculte de Singapour, des enfants qui jouaient s'écartèrent en m'apercevant et s'écrièrent :

— Voilà Jéhovah ! l'éléphant couleur de cendres !

Moi, le maître, je ne comptais plus. Je n'étais plus rien. Je passais sur ma houdah rouge et l'on ne voyait qu'un éléphant cendré, l'on criait : Voilà un éléphant qui passe !

J'étais parti dans l'espoir de tirer quelques lynx et j'avais emporté ma carabine à balles. Dès que la route s'enfonça sous les bois, je poussai Jéhovah qui se mit à trotter en barrissant joyeusement et en faisant l'effort de tourner parfois la tête dans l'espoir de m'apercevoir avec son petit œil amical.

Je plaçai l'extrémité de ma carabine sous son oreille. Je savais exactement quel point je devais viser pour frapper l'animal à mort d'une manière instantanée. Je savais aussi que je risquais ma vie, car je pouvais être écrasé par la chute de l'énorme corps. Mais la vie comptait peu pour moi et j'avais du plaisir à la risquer.

Non, les enfants ne nommeraient plus à son passage le célèbre Jéhovah. La célébrité était faite pour les hommes, non pour les bêtes.

Je tirai. L'éléphant sut-il que c'était son maître qui le frappait ou pensa-t-il confusément que la mort lui venait par une fatalité incompréhensible ?

Il ne fut pas préoccupé par ce problème dans la dernière seconde dont il disposa et pour moi seul fut sa sollicitude. A peine le coup avait-il retenti que Jéhovah en s'affaissant projetait sa trompe en arrière, m'enlaçait et me déposait doucement sur le sol du côté opposé à la chute de son corps. Une seule seconde, dans laquelle il y avait l'infini du dévouement.

O Seigneur, si tu existes quelque part, garde l'homme de la croyance qu'il a le droit de tuer les animaux selon son bon plaisir, de la force qui le pousse à faire dégringoler des ailes dans les arbres, à tacher de sang des fourrures dans la forêt, délivre-le de la folie de la chasse, de la tyrannie qu'il exerce sur le peuple à quatre pattes et sur le peuple couvert de plumes, délivre-le de l'orgueil qui lui fait penser qu'il est le roi de la création, délivre-le du mal qui est en lui.

LA VISITE DE MONSIEUR MUHCIN

Monsieur Muhcin vint me voir.

Il avait été l'ami de mon père et j'honorais, depuis mon enfance, ce petit marchand d'éventails, pour sa probité, sa douceur et sa modestie. Je ne lui trouvais qu'un seul ridicule : celui d'être bouddhiste, mais je l'excusais, pensant que cela tenait à son origine hindoue.

C'était un homme maigre et pâle avec des yeux sans éclat remplis de bonté et une longue barbiche jaunâtre. Il avait beaucoup vieilli depuis que je ne l'avais vu. Cela tenait, m'expliqua-t-il, à sa santé qui n'était pas excellente.

Je l'avais fait entrer dans le grand salon de réception et sous les immenses panoplies qui recouvraient les murailles, sous les armures chinoises et cinghalaises, avec son dos voûté, et sa tête projetée en avant, il avait l'air encore plus petit, encore plus insignifiant. Je pensai, en apercevant, à côté de la sienne, ma large stature dans une glace, que nous représentions des espèces d'humanité tout à fait différentes et je souris intérieurement.

Je compris qu'il avait quelque chose à me dire et qu'il n'osait pas. Il avait toujours été extraordinairement timide. Puis j'en impose. Il prit plusieurs fois du tabac dans sa tabatière et il fit le geste de priser. Mais comme il tremblait, le tabac se répandit sur sa jaquette, dont je remarquai la vétusté.

Je savais que son modeste commerce d'éventails de papier dans le bourg Choulia était loin d'être prospère et l'on m'avait dit récemment qu'il faisait de mauvaises affaires.

L'idée me vint brusquement qu'il voulait m'emprunter de l'argent. Cette idée me fut très agréable, car ma fortune était très grande, je n'ai jamais tenu à l'argent, et ç'aurait été pour moi un véritable plaisir d'obliger monsieur Muhcin. Je faillis taper sur son épaule fragile en lui disant :

— Monsieur Muhcin, combien vous faut-il ? Je suis là.

Mais non, ce n'était pas cela qui l'amenait.

Monsieur Muhcin s'intéressait beaucoup à moi. Il avait appris que j'avais eu de grands malheurs. Il voulait les connaître, les partager, les alléger, peut-être.

Je faillis hausser les épaules. Un homme de son âge, enfermé depuis des années dans une boutique d'éventails à bon marché était-il susceptible de comprendre quelque chose à l'amour que j'avais éprouvé.

Pourtant, je lui fis le récit détaillé de mon voyage à Java, de ma rencontre avec Eva, de sa disparition, de la capture du tigre.

— Je comprends, dit-il doucement, c'est ce qui peut-être…

Et il toucha du doigt son front comme s'il faisait allusion à quelque folie, mais je ne saisis pas le sens de ce geste.

— N'avez-vous pas entendu dire, me demanda-t-il, après un moment de silence, qu'il y eut dans la région de Mérapi une lamaserie de femmes ?

Je ne voyais pas quel rapport cela pouvait avoir avec mon histoire, mais je me souvins brusquement qu'Eva m'avait, en effet, parlé d'une lamaserie de nonnes bouddhistes qui se trouvait dans la montagne, un peu plus loin que la lamaserie de Kobou-Dalem.

Je me souvins en même temps de l'intonation respectueuse que sa voix avait eue, quand elle m'en avait parlé.

— Oui, répondis-je, j'ai entendu dire qu'il y avait une lamaserie de femmes dans un endroit très sauvage de la montagne Mérapi.

— Alors, dit monsieur Muhcin vivement, ce doit être celle qui dépend de l'abbaye de Palté dans le Thibet. Leur abbesse est Khoutouktou et cette secte de lamas femmes rend un culte particulier à la déesse Dorjé-Pagmo que l'on représente avec une tête de truie.

En prononçant le mot de Khoutouktou, monsieur Muhcin avait baissé les yeux avec une sorte de vénération.

— Une Khoutouktou, reprit-il, est l'incarnation d'une sainte thibétaine. Il y a en ce moment très peu de ces incarnations sur la terre. Nous sommes dans le Kali-yuga, je veux dire l'âge de fer.

Je me mis à rire de bon cœur.

— Je ne vous cacherai pas que je n'ai aucune sympathie pour les lamas bouddhistes. Il y a, notamment, l'un d'entre eux qui m'inspire une vive aversion.

Je pensai à mon chapeau en paille de Manille.

— Je suis moi-même bouddhiste, dit avec douceur monsieur Muhcin. Il y a dans les enseignements de ma religion… C'est pour cela du reste que je suis venu vous trouver… Le but de ma visite…

Monsieur Muhcin se mit à balbutier. Il tenta de prendre une prise qui se répandit encore. Il articula enfin :

— Il y a ceci dans les lois de Manou :

Celui qui a tué un chat, un geai bleu, une mangouste ou un lézard doit se retirer au milieu de la forêt et se consacrer à la vie des bêtes jusqu'à ce qu'il soit purifié.

J'avais déjà entendu cette phrase, mais je ne me rappelais ni où ni quand. Elle me fit comprendre pourquoi le pauvre vieux Muhcin était venu me trouver. Il voulait me faire des remontrances sur ma manière de traiter les bêtes. J'eus pitié de lui et je l'écoutai en silence, car il faut avoir des égards pour la vieillesse, même quand elle radote.

On parlait de moi dans Singapour. Il avait été question d'un héron enflammé, d'un castor privé de ses enfants d'adoption, d'un éléphant que j'avais tué. Monsieur Muhcin avait beaucoup aimé mon père. Il m'aimait aussi. Il me voyait avec tristesse maltraiter mes frères les animaux.

Je me repris à rire à l'idée que je pouvais être considéré comme le frère du tigre de Java.

— Je ne sais pas, dis-je, quel est ce Manou dont vous me parlez, pas plus que cette Khoutouktou du Thibet et je crois que ce n'est pas très intéressant pour moi.

J'avais orienté, sans en avoir l'air, l'ennuyeux donneur de semonces vers la porte de sortie.

— C'est très intéressant pour vous au contraire, me dit-il, en levant son doigt tremblant et en baissant la voix comme s'il s'agissait d'un secret. Je vous promets de me renseigner sur cette lamaserie de femmes de Java. Je vous le promets. Naturellement, il faudra que vous me promettiez de ne rien faire si…

Il n'acheva pas. Je l'écoutais à peine. Je me disais qu'il avait eu raison de toucher son front avec le doigt, et je m'étonnai qu'il pût avoir conscience de son radotage. Ce n'est que plus tard que ses paroles me revinrent.

Je le regardai s'éloigner dans la rue. Il s'effaçait avec discrétion quand il croisait quelqu'un. Il avait l'air de ne pas vouloir gêner les passants. Comme il était petit et timide ! Je pensai à son misérable commerce qui périclitait, à la salle basse et sans soleil, derrière sa boutique, où il passait ses journées.

Un bouddhiste ! Quelle pitié !

INÈS

J'avais vu pour la première fois Eva au moment où elle descendait par une échelle. Je vis pour la première fois Inès au moment où elle montait un escalier, le grand escalier de pierre de l'hôtel du résident.

Elle avait une robe noire à franges d'or si extraordinairement décolletée que je me demandai par quel miracle elle pouvait tenir aux épaules et je pensai tout de suite à la robe de la princesse Sekartaji.

De lourdes tresses où une rose était piquée faisaient un cadre sombre au visage d'Inès qui exprimait une mutinerie joyeuse en même temps qu'une autorité souveraine. Elle s'avançait avec une aisance parfaite dans sa demi-nudité, lançant des sourires à droite et à gauche et ayant l'air de chercher quelqu'un du regard.

Je sus par la suite qu'Inès n'avait donné rendez-vous à personne à cette soirée du résident, mais que c'était son habitude éternelle, en quelque lieu qu'elle fût, d'être en quête d'un Français, car les Français réalisaient pour elle l'arbitraire idéal d'amour qu'elle s'était formé. J'ignorais alors cette particularité.

J'avais quelquefois rencontré Inès sous les palmiers de l'avenue royale, dans une calèche à deux chevaux blancs, et elle avait toujours fait semblant d'ignorer mon existence.

Je savais qu'elle était Portugaise d'origine, qu'elle appartenait à l'illustre famille des Almeida et qu'elle était veuve d'un général anglais qui avait habité Batavia, puis Singapour. Bien que ruinée, elle menait grand train. On disait qu'elle avait contribué à la mort de son mari par ses folles dépenses et sa conduite irrégulière, mais j'ai coutume de ne pas ajouter foi aux propos qui circulent sur les femmes.

Personne ne parlait d'elle sans ajouter avec respect : C'est une Almeida !

J'étais accoudé sur la balustrade de pierre de l'escalier, quand elle monta, promenant à droite et à gauche la lumière de ses yeux noirs. Elle cherchait visiblement quelqu'un. Sait-on jamais avec les femmes, et même avec les Almeida ? Je ne pus m'empêcher de faire un pas en avant.

Nous nous trouvâmes nez à nez. Elle me jeta un regard glacé en me toisant des pieds à la tête. Je sentis un formidable afflux de sang à mon visage et je devins ridiculement cramoisi. A cet instant le souffle d'un des grands pankas de paille qu'agitait près de nous un nègre en uniforme fit se détacher un pétale de la rose qu'Inès avait dans ses cheveux et ce pétale vint se poser entre mes deux yeux.

Je les fermai une seconde. Quand je les rouvris le résident s'avançait la main tendue vers Inès qui, souriante, disparut avec lui dans la foule.

La soirée était donnée en l'honneur de l'amiral Rowley qui se rendait au Japon sur la *Batailleuse* et l'élite de Singapour y avait été conviée. Je ne parais d'habitude dans ces sortes de fêtes que pour m'y montrer, affirmer à tout le monde et à moi-même que je suis un membre de l'élite élégante et riche. Je me hâte de partir dès que j'ai été vu et que ma présence a été commentée.

Je restai ce soir-là. Je passai mon temps à suivre, de groupe en groupe, la merveilleuse Inès. Contrairement à mon habitude, je n'avais pas sommeil. Le sillage de la robe noire à franges d'or possédait une vertu qui surexcitait mes nerfs.

Inès affectait de ne pas me remarquer, mais j'étais sûr qu'elle m'avait remarqué, car parfois elle me lançait un regard où il y avait une ironie que je ne pouvais pas m'expliquer. J'en éprouvai du dépit et brusquement je décidai de partir. Il était très tard. Les salons de la résidence s'étaient vidés. Les nègres du vestiaire sommeillaient.

Arrivé sur le seuil de la porte, je m'aperçus qu'il pleuvait. Ma maison était assez éloignée et je n'avais qu'un mince habit neuf qu'il me déplaisait de voir déformer. Je restai une ou deux minutes immobile, écoutant le bruit que faisaient les larges gouttes de pluie sur les feuilles des palmiers de la place.

— Tiens, il pleut, dit une voix derrière moi.

Je me retournai. J'étais à nouveau face à face avec Inès, comme je l'avais été au commencement de la soirée quand elle montait l'escalier de pierre. Je me sentis rougir avec la même force et je la regardai fixement, cherchant une phrase que je ne trouvais pas et essayant de dissimuler ma gêne par une attitude pleine de désinvolture.

— Vous me faites rougir, en me regardant aussi fixement, dit-elle avec bienveillance.

Elle ne rougissait pas le moins du monde et je trouvai que l'action d'assumer ma rougeur était une preuve de grand tact.

Dans la même minute où les deux chevaux blancs de sa voiture s'arrêtaient devant la porte, une brusque trombe d'eau s'abattit en rafale sur la place et un souffle de tempête fit claquer, au loin, des volets, agita des branches, me lança de la pluie à la figure. Un Chinois en costume blanc avait bondi et tenait la portière ouverte.

— Il serait peu chrétien de ne pas vous ramener chez vous avec ce temps, dit Inès. Suivez-moi.

Cette dernière parole fut dite comme un ordre. Avant que j'aie pu répondre, elle avait serré un grand châle de soie neigeuse sur ses épaules et elle s'était précipitée dans sa voiture où je la rejoignis.

Inès ne m'avait pas demandé mon adresse. Je ne pouvais douter qu'elle ne me connût de réputation. Mais la confirmation de ma célébrité me fut très agréable. Je ne sais quelle phrase je balbutiai pour la remercier, mais Inès n'y attacha aucune importance et comme son châle avait été mouillé par la pluie, elle l'ôta.

Cela contribua à brouiller mes idées.

— Je crois qu'il n'y avait pas un seul Français à la soirée du résident, dit Inès, faisant allusion à une préoccupation constante chez elle. Les Français voyagent si peu ! N'êtes-vous pas d'une famille française ?

Je lui dis que non en m'efforçant de faire l'éloge du peuple hollandais. Mais cela ne parut pas l'intéresser. Je remarquai rapidement qu'elle ne prêtait qu'une oreille distraite à ce que je disais.

Tout d'un coup elle se mit à me parler d'Eva. Elle l'avait beaucoup connue, me dit-elle, deux ans auparavant, quand les Varoga avaient passé un hiver à Batavia.

Cette pauvre Eva qui avait un goût si passionné de la vie ! Ah ! elle n'avait pas peur de se compromettre ! Le monde est si méchant ! Mais n'y avait-il pas de la faute de son père qui fumait sans cesse et ne s'occupait pas d'elle ? L'histoire du fils du consul américain lui avait fait beaucoup de tort. Et aussi celle du prince Javanais que personne n'avait ignorée. Comment monsieur Varoga avait-il été assez naïf pour ne pas s'apercevoir que le descendant des anciens empereurs de Java s'était déguisé en domestique par amour ? Toutefois, on était obligé de le reconnaître, les Français n'intéressaient pas Eva. Quelle bizarre nature avec cela ! Quelle bizarre double nature ! Cette assoiffée de sensations, n'avait-elle pas parlé plusieurs fois à Inès elle-même, de son désir de se convertir au Bouddhisme ? Comment expliquer une telle dualité ?

Et Inès insista vivement pour entendre mon explication personnelle.

Je ne pus en fournir. Je ne comprenais pas bien. Je souffrais des souvenirs qui revenaient à ma mémoire. J'étais grisé par un parfum délicat de femme un peu lasse et de rose fanée. Il me venait un alanguissement, une envie de tendresse voluptueuse, et il me semblait que les chevaux blancs nous emportaient, au claquement de la pluie, dans une solitude de rêve.

Je répétai machinalement :

— Bouddhiste ! quelle pitié !

C'était le prince Javanais qui l'avait poussée dans cette voie. D'ailleurs, il y avait deux lamaseries dans les environs de l'indigoterie de Monsieur Varoga et Eva aimait à s'entretenir avec des lamas femmes qui portent des robes rouges et doivent être d'une extraordinaire malpropreté. Durant un temps, Eva faisait ses confidences à Inès. Eh bien ! Eva aimait par-dessus tout le plaisir. Elle préférait chez un homme un beau physique à une grande intelligence. Elle l'avait souvent montré d'ailleurs !

Et là-dessus Inès eut un regard de côté qui voulait dire : vous en savez quelque chose ! et que je trouvai déplacé. Mais j'entendais tout, comme à travers un songe.

C'était là un problème bien curieux qu'une femme douée — ici Inès s'arrêta et reprit après un silence en appuyant sur chaque syllabe — d'autant de tempérament qu'Eva, pût avoir des désirs de vie religieuse, fût une mystique et non pas une mystique chrétienne, mais une mystique hindoue.

Il y avait longtemps qu'Eva ne pratiquait plus sa religion. Elle avait des talismans thibétains et des sachets bénis par des saints, habitants de l'Himalaya. Des folies, de pures folies ! Inès s'était presque fâchée avec elle, car on peut tout faire, n'est-ce pas ? mais il ne faut pas toucher à ce qui est sacré.

Si moi, personnellement, témoin de tout le drame, je n'avais pas été sûr de la mort d'Eva, si je n'en avais pas eu des preuves formelles, Inès considérait comme possible qu'elle fût, à l'heure actuelle, volontairement enfermée dans un couvent de nonnes bouddhistes.

Je sais combien il faut peu tenir compte des divagations des femmes quand elles parlent les unes des autres. Inès avait dû prendre les boutades d'Eva pour des réalités. J'avais eu assez de conversations avec Eva et j'étais assez perspicace pour m'être rendu compte d'un penchant religieux aussi saugrenu, s'il avait existé dans son âme.

Le cocher avait dû faire un détour, car nous aurions dû être arrivés devant chez moi depuis longtemps.

Avec une habileté extrême et une opportunité dans laquelle j'excelle, j'avais pris la main d'Inès et elle ne l'avait pas retirée. La pluie faisait des dessins mystérieux dans les carreaux. Je sentais que nous traversions des quartiers morts. Un je ne sais quoi de fluide et d'insaisissable faisait pressentir la venue prochaine de l'aurore. Je respirais l'haleine tiède d'Inès et son amour de la vie se communiquait à moi par la main que je serrais. Elle avait cessé de parler et il me sembla qu'elle allait défaillir.

Tout d'un coup, elle dit :

— Nous sommes arrivés.

La voiture s'était arrêtée. Je vis la grille d'un jardin, une villa inconnue.

Légère, Inès sauta de la voiture et fit en courant les quelques pas qui la séparaient de la porte d'entrée.

Je faillis dire : Ce n'est pas là ma maison !

Mais je m'arrêtai.

Ma préoccupation dominante était de me conduire en galant homme et de ne pas me livrer à quelque grossière tentative. La nuit du temple de Ganésa m'avait donné une terrible leçon.

— Eh bien ! venez ! dit la voix d'Inès avec une nuance d'impatience.

Je la rejoignis. Nous étions dans une pièce dont le plancher était recouvert de nattes et de coussins et qu'éclairait, d'une manière confuse, une lampe à huile. Des laques luisaient sur les murs. Un grand parasol orange et vert était suspendu au plafond.

J'entendis du dehors la voiture qui s'éloignait.

— Je rentrerai à pied, en me promenant, dis-je, dès que la pluie sera un peu calmée.

Je pensais montrer de la délicatesse par ces paroles. Inès referma brusquement la porte puis, avec lenteur, elle ôta son châle qu'elle avait remis pour regagner la villa.

— Mon châle est tout mouillé, dit-elle.

Elle fit deux ou trois pas et je remarquai qu'elle avait quelque chose de félin dans le mouvement des épaules qui la faisait ressembler à une panthère.

Elle revint vers moi, en souriant un peu ironiquement.

— Avez-vous une cigarette ? dit-elle.

Je cherchai fébrilement mon étui.

— Voilà du feu, et elle fit craquer une allumette qu'elle me tendit.

Elle était tout près de moi et il me sembla qu'elle m'offrait aussi ses lèvres.

Je soufflai l'allumette. J'allais prendre Inès dans mes bras, mais au moment où la palpitation de la flamme s'éteignit, je vis un homme à gros ventre et à tête d'éléphant qui me regardait. Je sentais que les lèvres d'Inès étaient humides et chaudes. Mais je me refusai à y penser.

Nous fumâmes en silence.

Par un de ces brusques caprices qui lui sont familiers, la pluie s'arrêta tout à coup.

— Je vais rentrer en me promenant, tout doucement, dis-je encore.

Une légère lumière blafarde teintait les choses au dehors. Je vis dans le jardin de grands champakas rouges que l'eau alourdissait et faisait pencher. Inès m'accompagna jusqu'à la grille en marchant sur la pointe des pieds pour ne pas mouiller ses petits souliers.

Je la saisis brusquement et elle se laissa aller contre moi sans résister. J'eus, durant une seconde, sa bouche mouvante sous la mienne. Mais des voix retentirent. Un groupe de coolies s'avançait avec une lanterne.

Nous nous séparâmes et je portai la main d'Inès à mes lèvres.

— Et moi qui vous demandais si vous étiez Français, dit-elle en riant, au moment où je m'éloignais. Ah ! non, vous ne l'êtes pas du tout.

LE CHAPEAU DE PAILLE

J'arrive à l'événement le plus important de ma vie qui fut une mauvaise action, accomplie consciemment.

Je ne raconterai pas en détail comment je fus amené à épouser Inès, quels détours singuliers elle prit pour arriver à ce résultat, le chiffre énorme de ses dettes que je payai et la certitude que j'acquis de son absence totale d'amour pour moi. Tout cela est de peu d'importance. Les événements les plus considérables de l'existence ne sont ni les morts, ni les mariages, ni les catastrophes qui surviennent, mais certains petits faits qui ont, sur l'évolution de l'esprit, une influence secrète.

Le lendemain du jour de mon mariage coïncidait avec je ne sais plus quelle fête chinoise que l'on célébrait non seulement dans le campong chinois, mais encore dans les quartiers arabes et hindous.

J'avais l'habitude, dans ces occasions, d'obéir aux usages pratiqués par mon père. J'ouvrais le rez-de-chaussée de ma maison et les portes de mon jardin et la foule venait, toute la journée, admirer mes collections et mes animaux.

Je m'étais accoudé, vers le milieu de l'après-midi, à une fenêtre du premier étage et je regardais distraitement les Cinghalais à figure efféminée, les Hindous de bronze aux cheveux flottants, les femmes Malabares au nez orné de pendeloques, aux doigts de pieds garnis d'anneaux d'argent, les Chinois familiaux en lustrine noire avec des cortèges d'enfants. Tous défilaient devant les cages, sous la surveillance de mes gardiens et de quelques policemen sikhs en uniforme blanc et en turban rouge envoyés par le résident, et j'entendais avec satisfaction leurs cris admiratifs et leur murmure d'effroi quand ils contemplaient le tigre de Java, à l'œil unique.

Inès qui était dans une pièce voisine entra tout d'un coup dans celle où je me trouvais. Elle tenait une lettre à la main et elle me dit en souriant, négligemment et sans me regarder :

— J'ai oublié de vous dire que j'avais reçu il y a quelques jours, une lettre d'une de mes amies de Java.

Elle avait sur son visage la même expression de satisfaction amère qu'elle avait eue, plusieurs fois, pendant nos fiançailles, pour me dire des choses désagréables, telles que des indications de sommes très élevées à payer ou des récits de rencontres de Français très séduisants.

Je pris la lettre et je la parcourus. Elle ne contenait rien d'intéressant pour moi. Elle donnait des nouvelles de beaucoup de personnes de la société de Batavia qui m'étaient inconnues, elle semblait n'être que la suite d'une lettre précédente.

J'allais la rendre à Inès lorsque je lus le post-scriptum.

Nous ne savons rien de plus au sujet de la belle amie du prince, de la soi-disant fiancée du dompteur. Son père, paraît-il, fume de plus en plus et est difficilement visible. Quelqu'un de tout à fait digne de foi qui est allé le voir prétend lui avoir entendu dire à quelqu'un avec qui il avait une conversation très animée : Ma fille est désormais morte pour moi.

Je laissai tomber la lettre. Inès remuait des objets dans la pièce et me surveillait du coin de l'œil.

Si le père d'Eva avait déclaré que sa fille était morte pour lui, cela n'impliquait-il pas qu'elle était vivante pour les autres ?

Juste en cet instant, mon regard que je promenais au hasard dans le jardin, parmi la foule bigarrée, fut frappé par la silhouette d'un Européen mal vêtu. Il glissait modestement le long des cages et il s'arrêta devant le tigre de Java. Je remarquai son pantalon ridiculement étroit et court, sa chemise en coton bon marché, et son absence de cravate. Mais je remarquai surtout son chapeau, un superbe chapeau en paille de Manille, à larges bords souples, un chapeau que je connaissais, mon chapeau.

L'homme que je voyais, qui se trouvait chez moi, était le charmeur de lézards d'une fumerie sur la bosse du chameau, le prétendu lama voyageur, le prêtre d'un culte grotesque où l'on adorait Ganésa, le personnage qui m'avait été si spontanément antipathique et que je soupçonnais de m'avoir dénigré auprès de Monsieur Varoga et peut-être d'Eva. Et il portait mon chapeau !

Je me dressai. Je descendis en courant l'escalier, je m'élançai dans le jardin.

Au bruit que je fis il se retourna. Je vis ses grands yeux clairs, la calme expression de son visage, son aisance parfaite sous ses vêtements ridicules. Il me sembla même qu'il fit un pas vers moi avec ce mouvement que l'on a lorsqu'on aperçoit quelqu'un à qui l'on a quelque chose à dire.

Mais déjà, je l'avais saisi par le col de sa chemise sans cravate. J'agissais au hasard, sans plan préconçu, poussé par cette chaleur de la colère, cette force mystérieuse de la haine qui supprime toute réflexion.

— Vous m'avez volé le chapeau que vous portez ! criai-je avec une sincérité que je puisais dans la profonde ignominie de mon mensonge.

Malabars Cinghalais, Chinois, Bouguis, firent un cercle amusé et tout de suite injurieux pour le porteur du chapeau qui, secoué par ma main vigoureuse paraissait de beaucoup le plus faible de nous deux.

Tous mes employés étaient accourus, mais ma supériorité physique était tellement éclatante qu'ils ne songeaient pas à me prêter main forte. Je relâchai un peu mon étreinte.

L'homme ne résistait pas. Je surpris sur ses traits cette expression de répulsion et de surprise attristée que peut avoir la parfaite pureté en contact soudain avec la mauvaise foi cynique, la brutalité, la plus atroce laideur de la vie.

Cela ne fit qu'augmenter ma colère.

La police anglaise est très bien faite. Plus encore que toutes les polices du monde, elle donne immédiatement raison, si deux hommes ont un différend, au mieux vêtu, à celui qui appartient à la classe sociale la plus élevée.

Les policemen qui intervinrent ne demandèrent aucune explication. Ils se jetèrent sur l'homme accusé de vol, comme sur un voleur professionnel, et ils entraînèrent avec brutalité cette créature inoffensive que je venais de jeter dans le cercle du mal et qui ne faisait aucun geste pour protester.

La justice n'avait pas encore subi à Singapour le contrecoup de la réorganisation de la justice des Indes. Elle était rapide et dure aux pauvres, comme toutes les justices qui ont plus souci d'ordre que de justice.

En matière de vol flagrant ou d'attaque à main armée, un juge anglais se prononçait sans appel, et il n'y avait pas d'inutile procédure et de bavardage d'avocat. Le juge était seulement assisté d'un conseiller indigène, Hindou, Chinois ou Malais, chargé de l'éclairer sur les usages et coutumes de ces peuples et qui servait en même temps d'interprète.

Je fus appelé au tribunal le lendemain. J'avais été tellement approuvé par tout le monde pour avoir fait arrêter un voleur que j'avais fini par me persuader que j'accomplissais une action louable et que je m'y rendis avec une conscience tranquille.

Le tribunal était un vieux monument à colonnes datant de la fondation de Singapour et la justice s'y rendait du haut d'une petite estrade où siégeait le juge, dans une salle aux murs nus, construite en blocs cyclopéens et dont l'immensité de pierre devait impressionner les indigènes. Il y avait devant la porte un poste de cipayes dont le sergent me salua militairement quand je passai.

Tout se passa très rapidement et du commencement à la fin mon amour-propre fut caressé par les signes extérieurs de considération que chacun manifesta pour ma personne.

Outre le salut du sergent des cipayes, je note l'obséquiosité du chapelier anglais qui m'avait vendu le chapeau de paille et que j'avais fait citer comme témoin, le mouvement de curiosité qui passa parmi les assistants quand je parus et la légère inclinaison de tête du juge qui voulait dire : Je suis un juge impartial. Je ne donne ni approbation ni désapprobation à ceux qui comparaissent devant moi, mais je vois d'un coup d'œil à quelle personnalité j'ai affaire.

Ce juge était un vieillard gras et rasé avec des yeux tout petits et très brillants.

L'homme au chapeau sortit brusquement entre deux policemen sikhs d'une porte basse qui était derrière l'estrade du juge. Il était nu-tête et il avait des menottes. Il avait les traits tirés de quelqu'un qui a mal dormi, mais son visage avait un calme extraordinaire qui pouvait très bien passer pour le cynisme d'un voleur habitué aux vols, aux arrestations qui suivent les vols, aux condamnations qui suivent les arrestations.

J'évitai de fixer ses yeux. Je les rencontrai pourtant une seconde et je vis, à ma grande surprise qu'ils étaient plus clairs encore que la veille, mais dépouillés de leur étonnement douloureux et entièrement exempts de reproche. Cela me fut insupportable et mon irritation augmenta, quand je m'aperçus en répondant à une question insignifiante d'un assistant, que ma voix était mal assurée.

Le conseiller indigène tempère d'ordinaire la sévérité du juge, il plaide la cause de l'accusé. Mais on ne put dans ce cas faire appel à aucun des conseillers, l'accusé s'étant déclaré Thibétain et parlant parfaitement l'anglais.

Dès le début, la cause sembla entendue d'avance.

Le greffier me demanda mes noms et qualités avec une nuance de la voix qui voulait dire : ceci est une pure formalité, nous les connaissons bien !

Quelques rires partirent de la foule quand le Thibétain questionné sur son nom et son lieu d'origine, répondit qu'il s'appelait Djohal et qu'il appartenait à une lamaserie située dans l'Himalaya en un endroit qui n'était mentionné sur aucune carte. Un vieillard du faubourg Choulia chez lequel il habitait à Singapour était son seul répondant.

Ce vieillard était convoqué. On l'appela. Un cri grêle retentit dans l'assistance et un très vieil Hindou, vêtu de haillons s'avança en tremblant. Il était d'une extraordinaire timidité et il ne parlait que l'Hindoustani et encore un dialecte du nord que personne ne comprit. Soudain, impressionné par la majesté du tribunal il se mit à pleurer.

Le juge le pria avec impatience de se retirer.

Il y eut de nouveaux rires quand l'accusé répondant à une question du juge, déclara qu'il avait trouvé mon chapeau flottant dans une rivière de Java et qu'il l'avait pêché avec son bâton. Il avait pensé qu'il n'y avait aucun mal à mettre sur sa tête un chapeau errant au fil de l'eau. Il sentait l'invraisemblance de cette explication, mais il était obligé de la donner parce qu'elle était vraie.

La douceur avec laquelle il s'exprimait sembla à tous de l'hypocrisie. Il y avait dans la lassitude de ses épaules le sentiment que toute lutte était inutile, qu'il était pris dans le piège de la méchanceté des hommes et qu'il ne pourrait s'en échapper.

Le juge haussa les épaules. Il savait à quoi s'en tenir. Il me demanda de prêter serment. Je lus dans ses petits yeux, sa face large et plissée : Simple formalité ! Je vous connais comme un parfait gentleman d'une honorabilité renommée.

Il m'était impossible de revenir en arrière, bien qu'à cette minute je l'eusse voulu de tout mon cœur.

J'étendis la main. Mais je ne reconnus pas le son de ma voix sans timbre. Et tout à coup j'éprouvai cette sensation de vide autour de moi qu'il ne m'était arrivé de ressentir que lorsque j'étais en danger de mort.

Je me trouvai seul dans un espace illimité, un abîme profond du fond duquel je faisais monter, d'une voix blanche, le faux serment, le témoignage éternel de l'injustice du fort contre le faible. Autour de moi il y avait de hautes murailles de pierre, non pas celles du tribunal mais des déroulements de pics, tous les Himalayas avec leurs neiges inviolées, leurs lamaseries secrètes, leurs mystères légendaires. L'homme au chapeau était au loin sur une hauteur avec un visage serein, rigoureusement exempt de mal. Et derrière lui, à travers lui, dans un panorama vertigineux se déroulaient tous les faits de mon existence injuste et stupide. Des perroquets sanglants tombaient dans des arbres, des cerfs bramaient désespérément, des singes pleuraient sur leurs morts, des troupeaux de buffles fuyaient, des hiboux battaient des ailes, des geais bleus palpitaient, un grand œil de tigre saignait. Et moi, le tueur de bêtes, la main étendue, au milieu de ces images extravagantes, je prononçais la formule du serment inique.

Cela ne dura, cela ne put durer assurément que quelques secondes. Mais pendant ce temps rapide, ce temps éternel, mon esprit dédoublé avec une lucidité extraordinaire était fixé sur le visage du juge et suivait les changements de sa physionomie.

Ses petits yeux s'étaient fixés d'abord au hasard et avec indifférence sur un coin de la table qui était devant lui et qu'il tapotait de la main, comme quelqu'un qui attend la fin d'une chose sans importance. L'absence de timbre de ma voix le fit me regarder bien en face en même temps que sa main s'immobilisait. Et pendant que je prononçais la formule, une grande attention cristallisa ses traits, ses yeux minuscules s'allumèrent et je vis, à n'en pas douter, la clarté de la vérité apparaître sur son visage large et le transformer.

J'en fus tellement sûr que j'en éprouvai une sensation de soulagement infini et que je fus tenté de l'interpeller pour lui affirmer que ce qu'il pensait était vrai et que j'étais en train de faire un faux serment.

Ah ! s'il avait tenté de me confondre, de prendre la défense de l'homme sans classe, injustement accusé, je crois que je l'aurais serré sur mon cœur pour cette lumière d'intégrité que j'avais aperçue dans son regard.

Mais c'était un lâche comme les autres et comme moi-même. Avait-on jamais entendu parler d'un juge accusant d'un faux serment un Européen riche et connu pour défendre un vagabond ?

La lumière de justice s'effaça sur le visage du juge. Derrière lui les bêtes disparurent, les Himalayas neigeux redevinrent des murs de tribunal. L'ordre social qui avait un instant failli être troublé par le mensonge d'un honorable gentleman, l'éclair de perspicacité d'un juge se reconstitua autour de moi avec son impitoyable puissance.

J'entendis une voix indifférente qui prononçait le minimum de la peine que la loi anglaise prescrit pour vol reconnu.

Dans le brouhaha qui suivit je retrouvai mon assurance. Le marchand de chapeaux s'indignait qu'un voleur ne fût condamné qu'à quinze jours de prison, sans la peine corporelle du fouet que l'on inflige, d'ordinaire, dans des cas semblables. Je vis le vieillard du faubourg Choulia s'élancer, au moment où l'accusé allait disparaître par la porte basse. Il tomba plutôt qu'il ne se prosterna et saisissant un pan de la jaquette élimée de l'homme il la baisa religieusement.

Je ne sais pas si le sergent des cipayes me salua quand je sortis. Je traversais la place d'un pas rapide, quand j'entendis quelqu'un qui courait derrière moi. Je me retournai et je vis monsieur Muhcin. Il avait dû assister à la séance du tribunal. Il paraissait très ému. Je lui tendis la main, mais il ne la prit pas, il resta quelques secondes silencieux puis, faisant un effort, d'une voix basse mais résolue, il me dit :

— Il vous est arrivé souvent, avec votre père que j'aimais, et encore maintenant, il vous arrive parfois de vous arrêter dans ma boutique, comme chez un ami. Je vous prie, désormais, de n'en plus rien faire. Vous pourriez rencontrer, quand il sera sorti de prison, le voleur de votre chapeau et je ne voudrais pas l'exposer à cette rencontre.

Monsieur Muhcin parlait avec une fermeté que je ne lui avais jamais connue. Je gardai le silence.

— Les hommes qui sont trop différents les uns des autres, reprit-il, doivent rester séparés. Je vous serais reconnaissant de considérer désormais que nous ne nous connaissons pas. J'éviterai même de vous dire bonjour si je vous rencontre, et je vous prie de faire de même.

Je continuai à me taire. Alors monsieur Muhcin se tourna brusquement et s'éloigna à petits pas.

LES SAM-SINGS

Il n'y a pas de mystère qui nous soit extérieur. Tout est en nous, et quand une lumière s'allume, c'est d'une façon brusque. Peut-être l'huile de la lampe a-t-elle été versée depuis longtemps, la mèche mouchée à notre insu mais la clarté est soudaine.

Mon cousin, le sot de Goa était de passage à Singapour.

Il n'était pas aussi sot que je l'avais cru. Il ne s'occupait que d'écailles, dont il faisait le commerce. Il n'aimait parler que d'écailles, toucher que des écailles, il les comparait, les évaluait, les achetait avec amour. Mais c'est une solution convenable à la vie que de se spécialiser dans l'étude d'une forme de la matière et d'en chérir les variétés infinies.

Il était mon hôte, et ce fut pour l'obliger, pour lui tenir compagnie, connaître la difficulté qu'il avait à se procurer des écailles jaspées et des écailles de l'Ile de la Réunion que je le suivis, ce soir-là, à travers le quartier pourri du vieux port, sur la bosse du chameau, dans la fumerie où l'on pénètre en passant sous la porte du Tigre.

Inès avait souri d'un étrange sourire chargé d'une satisfaction contenue, quand nous avions exprimé notre intention de sortir sans elle.

— Je sortirai sans doute aussi, avait-elle dit, et je rentrerai peut-être tard.

Le Chinois saluait, l'escalier était gluant comme lorsque j'avais pénétré là pour la première fois, l'air était opaque et étouffant, les mêmes formes étaient étendues auprès des petites lampes, rien n'était changé dans la fumerie. Je remarquai pourtant dans l'obséquiosité du Chinois en nous indiquant une natte près de la fenêtre, un je ne sais quoi de haineux et de terrifié, une manière d'éviter de frôler mes vêtements, qu'il n'avait pas eue lors de ma première visite.

Notre entrée avait suscité des chuchotements, et lorsque nous nous fûmes installés à droite et à gauche de la lampe, nos voisins immédiats, des Malais ou des Hindous, que sais-je ? se levèrent silencieusement et allèrent s'étendre un peu plus loin, dans la fumée à travers laquelle nous distinguions des éclairs de regards hostiles.

Mon cousin me le fit remarquer avec une certaine crainte et me demanda s'il n'était pas plus opportun de repartir. Mais je souris en lui montrant ma cravache que j'avais posée à côté de moi.

D'ailleurs, il avait commencé la description de certaines incrustations que des artistes de Delhi font sur des écailles parfaitement blanches dont on fabrique des boîtes de grand prix. Il brûlait de continuer. Il continua en faisant griller avec agilité l'opium sur la lampe, en fumant et en me faisant fumer.

Et ce fut dans cette nuit, au milieu des évocations de boîtes blanches garnies d'émaux de Delhi, d'éventails dont les tissus viennent de Perse, de peignes dont le travail a d'incomparables spécialistes à Benarès que s'alluma parmi les petites lampes qui jonchaient le sol, parmi les nattes et les coussins de cuir dur, une lampe que mon cousin ne vit pas, qu'ignorèrent les misérables hommes de la fumerie, une lampe invisible, une éclatante lampe intérieure.

Du temps avait passé. Combien d'heures, je ne sais pas. Cela commença par l'envie étrange, monstrueuse, inattendue, de caresser un lézard. Je ressentis au bout de mes doigts l'appétence impérieuse d'une caresse légère sur une petite tête glacée.

Mon cousin aux écailles était en face de moi, mais il tournait le dos à la fenêtre, tandis que j'étais, au contraire, face à elle en sorte que je ne pouvais voir ce qui se passait dans l'intérieur de la pièce, les fumeurs étendus, ceux qui entraient et ceux qui sortaient.

Je vis mon cousin se soulever un peu sur un coude et promener un regard circulaire rempli d'inquiétude sur la région fumeuse qui était derrière moi.

— Nous ne sommes plus en sûreté, me dit-il à voix basse, en se penchant de mon côté.

Je répondis par un léger sifflement musical.

— Pourquoi siffles-tu ? me dit-il surpris.

— C'est avec l'espoir d'apprivoiser un lézard. N'y en a-t-il pas quelques-uns autour de nous ?

— Il s'agit bien de lézards ! répondit mon cousin. Je crois que nous nous sommes fourvoyés au milieu d'une bande de Sam-Sings.

Singapour était terrorisé, à cette époque, par une société secrète chinoise que l'on appelait la société des Sam-Sings. C'est à elle que l'on attribuait tous les vols et tous les crimes qui se commettaient non seulement dans l'île, mais dans toute la Malaisie.

Il y a près de la porte, reprit mon cousin, un conciliabule de gens de mauvaise mine que je reconnais pour des Sam-Sings et le Chinois, tenancier de cette maison, vient de nous désigner à eux par un signe de tête épouvantable.

J'avais beaucoup fumé et j'éprouvais, sous l'influence de l'opium, une béatitude physique délicieuse, un optimisme parfait, en même temps qu'un désir d'immobilité. Toutes les choses me paraissaient harmonieuses autour de moi et il ne me manquait que la présence d'un de ces petits lézards si fréquents dans les maisons de Malaisie.

Je rassurai mon cousin de mon mieux. Nous étions entourés de gens excellents. Je connaissais le Chinois tenancier de la porte du Tigre. D'ailleurs personne à Singapour n'oserait attaquer un homme tel que moi. Puis j'étais décidé à ne faire aucun mouvement.

Je n'avais même pas tourné la tête. Un petit lézard venait d'apparaître dans le rayon de mon regard. Il était sur le rebord de la fenêtre et je le vis qui glissait obliquement le long du mur.

Mais mon cousin posa la pipe qu'il tenait à la main et je vis ses yeux anxieusement fixés par-dessus moi, dans les ténèbres de la fumerie.

— Tu as fait condamner, il y a quelque temps, m'as-tu dit, un voleur à la prison. Il doit faire partie, comme tous les voleurs, de l'association des Sam-Sings dont quelques membres doivent être les habitués de cette maison louche. Il est vraisemblable qu'ils méditent une vengeance contre toi et par conséquent contre moi qui t'accompagne.

Je fis un geste négatif. Je lui recommandai de ne pas bouger pour ne pas effrayer le lézard qui était maintenant tout près de lui et je recommençai à siffler.

Mais mon cousin qui, contrairement à ce que j'avais pensé un instant, n'était qu'un sot et un sot timoré, se dressa à demi en m'adjurant, toujours à voix basse, de me mettre en défense, car il venait de voir l'éclair d'une lame nue.

Son mouvement fit disparaître le lézard dans quelque fente du plancher.

— Il est vrai, dis-je, que les Malais excellent à lancer le kriss. Ils le font avec une rapidité déconcertante. J'ai vu des kriss enfoncés dans du bois de teck, qui est très dur, si profondément qu'on avait de la peine à les retirer.

Et je continuais à rester immobile.

J'avais prononcé ces paroles peu rassurantes pour punir mon cousin d'avoir fait fuir le lézard par la brusquerie de son mouvement. Je ne songeais pas le moins du monde à me retourner pour voir le conciliabule redoutable. Je me trouvais bien dans la position où j'étais. Je ne bougeai pas la tête d'une ligne, mais je dis machinalement, comme si ces paroles m'étaient dictées par quelqu'un, cette phrase entendue dans ce lieu même, lors de ma première visite, cette phrase qui revenait mystérieusement à ma mémoire :

— Les hommes sont d'autant plus malheureux qu'ils éprouvent plus de haine, d'autant plus heureux qu'ils aiment davantage.

Je m'étonnai moi-même de prononcer de tels mots et je vis que mon cousin partageait ma surprise car ces paroles ne correspondaient nullement à ma personnalité et aux idées que j'exprimais habituellement. Mais il avait un sujet d'intérêt plus grave et il ne releva pas ce que je venais de dire.

Il regardait toujours l'autre extrémité de la pièce pendant qu'en proie à une indifférence totale pour la sécurité ou le danger, la vie ou la mort, je respirais largement et paisiblement. Ma tranquillité était si complète que je prêtais l'oreille pour entendre si un kriss n'allait pas siffler par-dessus les têtes. Je désignai même mentalement un point du plancher où la lame, m'ayant manqué, s'enfoncerait en vibrant. Il serait grand temps, alors, de se lever et d'aviser.

Nulle lame de kriss ne vibra. Le visage de mon cousin devint peu à peu plus calme et l'expression de terreur qu'il y avait sur ses traits finit par disparaître.

— Nous l'avons échappé belle, me dit-il. Je crois que nous ne devons notre salut qu'à l'arrivée inattendue d'un homme au type indéfinissable, misérablement habillé à l'européenne avec des pantalons trop courts, qui a calmé d'un geste cette bande de forcenés.

Je voyais, à la façon dont il me regardait, que mon cousin considérait que parmi les dangers planant sur sa tête, il y avait la perte de raison de son compagnon. Aussi m'exhorta-t-il à un prompt départ. Et il ajouta :

— Ils sont tous partis maintenant.

Un immense besoin de sincérité était en moi et me poussa irrésistiblement à lui dire que je l'avais toujours considéré comme un sot, puis que je l'avais jugé moins sot, mais qu'en ce moment, j'étais revenu à ma première opinion.

Il se contenta de hocher la tête, attribuant ces paroles aux effets de l'opium et, d'une voix suppliante, il me demanda de l'accompagner pour sortir. Il était persuadé que s'il descendait l'escalier et s'il franchissait seul la porte du Tigre, sans l'égide de son compagnon, il serait à coup sûr assassiné.

Il ajoutait, mais comme une chose de moindre importance, qu'il y avait aussi péril de mort pour moi à demeurer à cette place.

Il invoqua pour vaincre mon désir d'immobilité le nom de sa mère qui l'attendait à Goa et comme je n'étais pas touché par l'image de ma vertueuse tante, que j'avais toujours jugée encore plus sotte que son fils, il nomma ma propre mère, cette sainte venue du Portugal, dont on n'a jamais prononcé en vain le nom devant moi.

Je me levai aussitôt. La fumerie était déserte. Je passai le premier. Nous sortîmes sans encombre.

LA CHANSON DU ROHI-ROHI

Je m'aperçus, avec surprise, le long du port, que pour la première fois de ma vie j'avais oublié ma cravache.

— J'irai la chercher demain, dis-je.

Mon désir d'immobilité était remplacé par une envie de course légère, de promenade indéfinie à travers l'air transparent de la nuit.

Comme mon cousin, maintenant rassuré, commençait à m'expliquer l'utilité des pattes de tortues pour la fabrication de l'écaille fondue, je profitai de l'attention qu'il portait à son sujet et d'un tournant de rue pour me mettre brusquement à courir dans une direction inverse à la sienne. Je le perdis sans difficulté.

Je franchis comme en rêve la série de ponts jetés sur les étangs qui entourent le port, je longeai les jardins de M. Whampoa, je pris la route bordant la rivière, je m'enfonçai dans l'intérieur de l'île.

J'étais possédé par une singulière allégresse. Je voyais à la clarté des étoiles pâlissantes les bungalows accrochés au flanc des collines, les jardins entourés de haies d'héliotropes sauvages et d'aloès, les avenues hâtivement taillées dans la forêt.

Il y avait sur mon passage, dans les branches des arbres, des bruits d'ailes, de vols d'oiseaux nocturnes que je mettais en fuite. Le sentiment que des créatures légères pouvaient se soulever dans l'air délicieux de la nuit, traverser les vapeurs flottantes, s'élever plus haut que la cime des arbres, me donnait un curieux sentiment d'envie, un désir de voler comme elles dans l'espace et je me surpris à ouvrir mes bras tout en courant et à les agiter comme si j'étais un homme, porteur d'ailes.

Je gravissais maintenant la pointe de Bukit-Timah afin de découvrir à son sommet la rade, le détroit, l'horizon des mers. J'avais dépassé l'établissement des jésuites quand le pressentiment de l'aurore se répandit mystérieusement autour de moi en une confuse blancheur.

La route se terminait au sommet de la pointe par une vaste clairière et au milieu de cette clairière, dominant la masse des nopals, des aréquiers, des bambous, des banians, jaillissait, comme un balai dominateur, un prodigieux cocotier.

Et à la minute où j'atteignis la clairière un rohi-rohi, oiseau minuscule, perché sur la plus haute branche de ce cocotier, commença son chant régulier, annonciateur du soleil levant.

Ma première pensée, une inexplicable pensée, telle que je n'en avais jamais eue de semblable, fut de gravir le cocotier et de chanter avec le rohi-rohi. Mais cette tentative eût été vaine vu la hauteur de l'arbre. Du reste l'oiseau se serait enfui.

J'écoutai le chant du rohi-rohi et je lui trouvai une beauté inconnue qui me remplit d'émotion. Il me sembla que je comprenais le sens profond de cette matinale harmonie. Le rohi-rohi célébrait le changement des ténèbres en clarté. Il s'était perché au sommet de l'étonnant cocotier pour contempler de ce poste vertigineux, l'apparition du soleil dans la mer de Chine et glorifier cette apparition.

Mais ce qui me troublait profondément, c'était la correspondance que j'établissais entre le chant de l'oiseau et mon propre désir intérieur de voir la lumière. Moi aussi, je sentais que le soleil levant était proche, que les ombres du mal allaient se dissiper dans la forêt de mes pensées et j'aurais voulu pouvoir regarder, du haut d'un cocotier poussé en plein ciel de l'âme, la naissance de mon soleil.

Et il y avait aussi dans le chant du rohi-rohi quelque chose que je n'avais jamais entendu et dont le sens demeurait pour moi plein de mystère. J'entendais distinctement à peu près ceci :

— Nous naissons les uns des autres, nous sommes tous frères. Du sein des bêtes, l'homme a tiré sa forme. Je suis avec mon plumage et mon bec le fils du cocotier qui m'abrite et le cocotier ensoleillé tire lui-même sa substance de la terre originelle. Gloire au soleil qui se lève pour éclairer la famille des êtres vivants ! Car nous naissons les uns des autres, nous sommes tous frères.

Je me mis sur la pointe des pieds et je tendis le cou pour distinguer le contour de l'oiseau.

Très haut, dans le ciel blanchissant, je crus voir, comme un point animé, le rohi-rohi minuscule, le miraculeux chanteur auquel j'aurais aimé être pareil. Il devait habiter sous une feuille de cet arbre azuréen et recommencer chaque matin son chant d'allégresse.

Et soudain, je fus atteint, comme par une flèche, d'une affreuse idée. Les jésuites qui habitaient un peu plus loin et dont je pouvais, de l'endroit où j'étais, distinguer la chapelle, se flattaient d'être d'habiles chasseurs. Ils mangeaient des oiseaux pour leurs repas et un vieux père, particulièrement vénéré pour sa charité, que j'avais rencontré quelques jours auparavant, m'avait dit :

— Venez donc nous voir un matin à Bukit-Timah, nous vous ferons manger un salmis de rohi-rohi.

Le merveilleux oiseau était exposé à tomber sous le plomb des pieux jésuites, des charitables pères mangeurs d'animaux. Je fus tenté d'abord de courir à la porte d'entrée de l'établissement, de la heurter de mon poing, de m'élancer dans la chapelle où l'on devait célébrer certains offices matinaux et d'intimer aux jésuites l'ordre de ne plus tuer de rohi-rohi sous peine d'avoir affaire à moi. J'avais dompté des bêtes fauves, je saurais bien dompter des jésuites.

J'avais déjà fait quelques pas quand je réfléchis et je m'arrêtai. Qui étais-je pour agir ainsi ? N'étais-je pas le tueur d'animaux par excellence, le grand chasseur des forêts de Malaisie, l'acheteur et le collectionneur des bêtes en même temps que leur bourreau ? S'il avait connu ma présence, l'inoffensif rohi-rohi aurait préféré traverser l'immense mer de Chine avec ses petites ailes plutôt que de chanter à mes côtés.

Il ne m'avait pas vu, mais il pouvait me voir et me reconnaître en vertu de ces étranges signalements d'hommes que les bêtes, même celles qui appartiennent aux espèces les moins intelligentes, se transmettent dans leur langage. Ce que j'avais de mieux à faire, pour ne pas troubler le musicien aérien, c'était de m'éloigner doucement.

A petits pas je redescendis la route que j'avais gravie. Ma joie de naguère avait disparu. Je marchais la tête basse, sans hâte et à cause de cela je remarquai sur le sol une fourmi qui traînait avec peine une énorme brindille de bois, vers une fourmilière où d'autres fourmis vaquaient déjà à leurs étonnants travaux souterrains. Je pris la brindille et je la posai à l'entrée de la fourmilière. La fourmi laborieuse ne montra ni reconnaissance ni étonnement de l'intervention bienveillante d'un géant, mais reprit sa tâche comme si rien n'était arrivé.

Au même instant, un bruit se fit parmi les feuilles. J'aperçus la tête d'un roufsa, cerf aux cornes repliées et à longue barbe. Je vis une seconde ses yeux graves, puis j'entendis son galop précipité. Mais je n'eus pas le regret, que j'aurais éprouvé la veille, de ne pas avoir de fusil pour le tuer. J'aurais aimé, au contraire, caresser sa tête craintive, tirer sa barbe avec amitié.

Je m'étonnai moi-même d'un tel sentiment. C'était un homme nouveau qui descendait la hauteur de Bukit-Timah.

Cet homme nouveau remonta tout à coup en courant. Il tourna sans s'arrêter sur sa droite, il fit un immense détour pour s'en revenir vers Singapour, en regardant fréquemment et avec effroi derrière lui pour voir si personne ne le poursuivait.

J'avais pris, pour redescendre, la route en bordure de la rivière où j'étais passé avec Jéhovah et je venais de reconnaître l'endroit où je lui avais donné la mort. Au pied d'un nagah couvert de fleurs blanches, la trompe basse, fixant de mon côté ses petits yeux remplis de tristesse fidèle, j'avais cru voir l'éléphant couleur de cendres, qui s'était donné si entièrement à moi et que j'avais tué.

— Quel mystère que notre âme, me disais-je à moi-même en marchant dans les rues de Singapour.

Ce fut seulement devant ma porte que je pensai à Inès qui devait être inquiète de mon absence. Et je me dis à voix basse une autre parole entendue jadis dans la fumerie :

— Par l'opium l'homme est mis sur la voie où il découvre sa parenté avec l'espèce animale.

LE DÉPART D'INÈS

Je n'allai jamais chercher ma cravache. J'oubliai même jusqu'à son existence. Je ne serais pas étonné si elle se trouvait en ce moment dans un musée d'histoire naturelle de Shanghaï ou de Canton avec mon nom écrit en lettres d'or sur une banderole rouge.

Inès ne s'était montrée nullement inquiète de mon absence nocturne. Rentrée tard, comme elle l'avait dit, elle s'était couchée paisiblement, s'était réveillée dans une humeur délicieuse et était allée, en chantonnant un refrain de France, faire un tour au milieu de mes animaux. C'est alors, sans qu'on pût s'en expliquer la cause, qu'elle reçut une gifle d'un des cynocéphales buveurs de vin.

Elle poussa de grands cris et donna à Ali le Macassar l'ordre de tuer la bête à coups de revolver. Celui-ci qui connaît le prix des animaux s'y refusa. Une discussion s'ensuivit et j'arrivai sur ces entrefaites.

A peine m'en eut-on exposé les motifs que je pris la parole et en termes très vifs, je déclarai que les seuls coupables étaient ceux qui avaient assez de méchanceté pour donner du vin à des singes et je promis de les punir d'une façon exemplaire.

Je n'ignorais nullement, en parlant ainsi, que j'étais le seul à avoir fait cet apport de vin, mais j'étais pourtant sincère car je me promettais de me punir moi-même. Je donnai raison à Ali de n'avoir pas voulu tuer une bête inoffensive.

Inès ne me pardonna jamais de l'avoir laissée sans vengeance et ce fut à partir de ce jour qu'elle s'efforça quotidiennement de m'humilier en me rappelant quelle différence il y avait entre une femme de la noble famille des Almeida et un simple dompteur hollandais. Ce fut à partir de ce jour que ses sorties devinrent de plus en plus fréquentes, ses paroles plus amères, ses demandes d'argent plus nombreuses.

Mon caractère changea. Je m'enfonçai dans de profondes méditations qui ne m'étaient pas habituelles. Je cessai de dompter les fauves. Je condamnai la porte de la galerie des animaux empaillés dont la vue m'était devenue insupportable.

Les cynocéphales n'avaient plus à boire que de l'eau. Mais à ma grande surprise ils ne retrouvèrent pas leur intelligence et continuèrent à montrer les signes de l'ivresse, à tituber, à accomplir mille actions déraisonnables.

Ce n'est qu'en faisant un retour sur moi-même, en constatant le changement apporté dans mon âme par la chanson du rohi-rohi sur la pointe de Bukit-Timah que je compris la portée secrète de certaines modifications intérieures et que, chez les hommes comme chez les singes, il y a des ivresses qui ne passent pas.

Mon cousin de Goa avait une affaire d'écailles à traiter à Batavia. Il devait repasser par Singapour avant de rentrer à Goa. Il consentit, sur mes pressantes instances à perdre les cinq ou six jours nécessaires pour aller de Batavia à Samarang et de là à l'indigoterie de Monsieur Varoga. J'attendis son retour avec une fébrile impatience. Mais bien insensé est celui qui charge un sot d'une enquête délicate !

Mon cousin était plus jeune que moi, mais il faisait partie de ces gens qui sont nés importants, qui se croient investis de la mission d'être les porte-parole de ce qui est raisonnable et moyen et qui répandent de sages conseils comme les bananiers répandent des bananes.

Je marchais depuis des heures de long en large sur le port, quand accosta le trois-mâts qui fait le service de Java à Singapour. Mon cousin débarqua le dernier. Tout de suite il me tapa sur l'épaule d'un ton protecteur et quand je l'eus fait monter en voiture et que je l'interrogeai anxieusement, il commença par me résumer les affaires d'écailles qu'il venait de conclure. Il eut l'air de se rappeler ensuite une mission de peu d'importance dont je l'avais chargé.

J'avais une épouse belle et charmante et qui de plus était une Almeida, titre honorifique qui se faisait sentir jusque dans la bonne société de Goa, qui lui savait gré à lui personnellement d'être le cousin du mari d'une Almeida. Je devais m'en tenir là et ne plus songer à des chimères. Ces chimères lui avaient fait faire un voyage très fatigant. L'hôtel de Samarang était inhabitable. Le prix de la location des chevaux était exorbitant. Il considérait qu'il avait risqué sa vie en longeant le massif montagneux de Merbarou et de Mérapi, mais il ne le regrettait pas puisqu'il pouvait, grâce à ce voyage, ramener à la raison son cousin.

— Qu'as-tu donc appris au sujet d'Eva ? lui demandai-je pendant que mon cœur battait avec force dans ma poitrine.

— Absolument rien, répondit-il. Et j'ai déployé, pour revenir avec cette absence de nouvelles, une habileté dont tu ne peux avoir aucune idée. Je ne crois pas te faire une trop vive peine en t'annonçant la mort de M. Varoga. Tu le connaissais en somme fort peu. Il a été enterré, à la grande surprise de tous ses amis européens, selon le rite bouddhiste. Il l'avait, paraît-il, demandé avant de mourir.

Les lamas de Kobou-Dalem sont tous venus à son enterrement. Des hommes seulement. D'ailleurs l'existence d'une lamaserie de femmes n'est pas certaine. Les gens des villages que j'ai interrogés ont tous été muets à cet égard. Ils se montrent aussi très réservés en ce qui concerne la disparition d'Eva. Ils semblent considérer celle-ci comme morte. Je dis : ils semblent, parce que l'hypothèse que tu as envisagée a été envisagée par d'autres que par toi.

Mais quelle singulière mentalité que celle des Javanais et comme ils sont mystérieux ! Je n'ai pu d'ailleurs me faire comprendre d'eux que grâce à ma profonde connaissance de l'Hindoustani et surtout du dialecte Malabarais qui a beaucoup de mots communs avec le Jawo.

Mon cousin se frotta les mains avec fierté et ajouta :

— Tu aurais envoyé tout autre messager européen qu'il n'aurait rien pu apprendre de positif.

— Tu as donc appris quelque chose de positif, repris-je.

Il secoua la tête et après un assez long silence calculé, il dit :

— J'ai appris en réfléchissant que les mystères sont dangereux et mauvais parce que ce sont des mystères et que seule la tangible réalité est bonne. Pour toi, la tangible réalité est Inès.

Tu peux toujours te figurer qu'Eva ayant perdu momentanément la raison, soit à cause du caractère redoutable d'un temple et d'une forêt, soit à cause de ta propre attitude — ici mon cousin me jeta de côté en plissant les yeux, un regard empreint de ce libertinage bourgeois qui est plus odieux que la plus basse débauche, — tu peux te figurer qu'Eva a été recueillie dans une lamaserie de femmes et qu'elle y est demeurée. Tu peux te figurer que par une de ces bizarreries auxquelles les femmes sont sujettes, elle s'est plu avec des créatures ascétiques, qu'elle s'est convertie à leur culte, bouddhiste ou autre et qu'elle se promène en ce moment, vêtue d'une robe rouge, entre des murailles de terre battue, dans un des endroits les plus sauvages de la terre.

Elle aurait fait savoir dans ce cas à son père qu'elle était vivante et qu'elle ne voulait plus sortir de sa lamaserie et cela aurait permis à celui-ci de dire à quelqu'un que sa fille était morte « pour lui ».

Nous aurions pu apprendre la vérité par la bouche de M. Varoga. Mais il vient de mourir et pour tout le monde. Ce devait être d'ailleurs un singulier original, puisque, élevé dans la religion catholique, il s'est fait enterrer comme un bouddhiste. Et ceci pourrait être un indice de l'extravagante décision qu'aurait pu prendre sa fille. Il y aurait dans la famille Varoga une singulière folie de culte oriental.

Mais ce ne sont que des hypothèses et du reste à quoi bon les examiner ? Il est beaucoup plus vraisemblable et à peine plus triste de penser que cette jeune fille est morte sous la dent des fauves. La vraisemblance a une grande force. Elle est morte, mais Inès est vivante. Elle t'en veut un peu, je crois, parce qu'elle a été giflée par un singe, mais cela est de peu d'importance. Elle est assez sensible aux hommages des Français, mais il n'y a guère de Français à Singapour. Crois-moi, le mieux pour toi est de ne plus penser à Eva.

La voiture s'arrêta devant ma maison et je ne pus rien tirer de plus de mon cousin.

Je ne m'étendrai pas sur différentes particularités du caractère d'Inès et sur sa manière de se conduire à mon égard, car elles n'ont pas de rapport avec le motif qui m'a poussé à écrire ces lignes. Je dirai seulement que l'affection que j'avais pour elle se changea en une indifférence hostile à partir du moment où je la vis, un soir de pluie, écraser avec le bout de son ombrelle les inoffensives limaces qui sortaient innocemment de la terre du jardin pour errer avec lenteur, laissant derrière elles un sillage de bave d'argent.

Elle était devenue plus gaie. Elle me parlait souvent et avec une sorte de bravade d'un délicieux Français, de famille noble, qu'elle voyait chez une de ses amies et qui s'appelait de Bourbon. Je ne lui fis jamais remarquer, pour ne pas être accusé de jalousie, que ce nom avait un caractère trop français et trop historique pour être véritable.

C'est alors que je sentis qu'elle s'était totalement détachée de moi. Et c'est juste à la même époque que commencèrent de curieuses disparitions d'objets.

Le coffret où elle mettait ses bijoux partit le premier. C'était un joli coffret persan avec une miniature sur le couvercle. Je remarquai ensuite qu'Inès ne jetait plus le soir sur ses épaules un châle des Indes en soie de Calcutta qu'elle aimait beaucoup. Je trouvai vide un tiroir où il y avait d'ordinaire des éventails et une collection de foulards multicolores.

Je croisai, un après-midi, sur la porte un matelot chargé d'un énorme paquet soigneusement emballé. Comme Inès avait l'air de veiller au départ de ce paquet, je lui demandai ce qu'il contenait. Elle me répondit avec une feinte négligence qu'elle faisait raccommoder quelques chemises et que sa lingère avait envoyé, pour les prendre, son mari qui était matelot.

— C'était là, ajouta-t-elle, de petites choses qui ne regardaient pas les hommes.

Je me contentai de répondre en considérant l'énormité du paquet sous lequel ployait le dos robuste du mari de la lingère :

— Quelle quantité de chemises !

Je ne sais comment Inès put trouver un prétexte valable pour prononcer le nom de l'*Étoile d'Argent*, un superbe trois-mâts qui était en ce moment dans le port de Singapour et qui devait mettre à la voile le lendemain pour Zanzibar.

Entre tous les navires, celui-là était le seul au sujet duquel ses lèvres auraient dû rester muettes. Mais Inès appartenait à cette catégorie de femmes qui ont en elles un génie intérieur qui les oblige à dire tout ce que leur raison leur défend de dire et qu'elles ont intérêt à ne pas dire.

J'appris donc que le capitaine de l'*Étoile d'Argent* était un noble Français, appelé de Bourbon, qu'Inès avait eu l'occasion de rencontrer chez une de ses amies.

Et tout de suite après, comme Inès était allée faire à six heures sa promenade habituelle sur l'avenue royale, un domestique vint m'annoncer qu'il y avait dans le salon un visiteur qui n'avait pas dit son nom.

J'ai parfois des intuitions singulières. Je sus aussitôt par intuition que le visiteur qui voulait me parler était le délicieux Français d'une très ancienne famille, capitaine de l'*Étoile d'Argent*.

Je me rendis au salon et dès que j'en ouvris la porte je m'aperçus que je m'étais trompé. J'avais devant moi cet Italien, second de navire, que j'avais connu à Batavia et de la chambre duquel j'avais vu Eva sortir par une échelle.

Il n'avait pas vieilli. Sa moustache était retroussée et noire d'une teinture récente. Il semblait plus velu qu'auparavant et il avait ce je ne sais quoi d'animé et de satisfait que le succès donne à certains hommes.

Il entama la conversation avec une gaîté primesautière que je ne lui avais pas connue.

Il ne m'en avait jamais voulu. La vie est une succession d'événements sans suite logique. On se perd, on se retrouve. Le monde, vaste en apparence, est quand même tout petit.

Il était heureux de m'annoncer la prospérité de ses affaires. Un groupe d'armateurs considérables avaient enfin reconnu ses capacités nautiques. Il avait le commandement de l'*Étoile d'Argent* et il faisait voile le lendemain pour Zanzibar. C'est à ce sujet qu'il était venu me trouver. Ses armateurs étaient à Pondichéry et il ne connaissait personne à Singapour, ou presque personne.

Or, il avait besoin d'une somme liquide de cinq mille roupies pour certains frais personnels qu'il aurait à faire en arrivant à Zanzibar. Il venait me les demander. Il savait ma fortune et le peu de cas que je faisais de l'argent. Il comptait me rembourser par traites de trois mois en trois mois. Le nom de ses armateurs, la situation qu'il venait d'obtenir répondaient pour lui.

J'avais éprouvé, en ouvrant la porte du salon, une sensation désagréable lorsque j'avais constaté que mon intuition était fausse. Cette sensation désagréable avait été suivie d'une sensation agréable lorsque je m'étais aperçu que l'intuition était juste et que l'Italien que je connaissais ne faisait qu'un avec le soi-disant Français nommé de Bourbon. Car je me suis toujours enorgueilli de ce don intuitif. Et j'eus une nouvelle intuition.

L'homme en présence duquel j'étais, le commandant de l'*Étoile d'Argent* n'avait pu songer à moi pour le prêt d'une somme de cinq mille roupies que parce qu'Inès, ma femme, lui avait conseillé de venir me trouver. Elle seule avait pu lui dire l'incapacité dans laquelle j'étais de résister aux emprunts. Elle m'avait souvent reproché ma facilité à donner de l'argent, sauf dans les cas où elle m'en demandait elle-même. Il y avait eu entre eux une sorte de complot. Et mon intuition s'agrandissait.

Ce séducteur aux moustaches teintes, cet Italien coureur de femmes avait conçu le projet d'enlever Inès, ma légitime épouse et il allait le réaliser, d'accord avec elle. Ces cinq mille roupies ne m'étaient demandées que pour servir à l'achat d'une maison, à une installation à Zanzibar ou ailleurs.

Bijoux, robes et linge étaient déjà à bord de l'*Étoile d'Argent*. J'étais réduit par cet aventurier grisonnant au rôle le plus ridicule que l'on pût imaginer puisque non content de me prendre ma femme, il comptait encore me faire donner l'argent nécessaire pour vivre avec elle.

Un grand calme s'empara de moi. Je semblais réfléchir aux possibilités de cet emprunt et je considérais les panoplies d'armes qui ornaient les murs de mon salon. Je m'arrêtai sur un groupe de kriss qui avaient, d'après mon père, appartenu à l'ancien Sultan de Bornéo, homme sanguinaire, qui avait coutume de mettre lui-même à mort ses femmes quand il s'était lassé d'elles. Ces kriss étaient aigus et peut-être empoisonnés. Je fis un pas vers la panoplie pour en décrocher deux. Ma résolution était prise. J'allais me battre avec l'homme qui voulait me voler ma femme.

Et j'ouvris la fenêtre pour appeler Ali le Macassar afin qu'il fût témoin du combat.

Je peux dire que dans cette seconde, j'entendis le chant du rohi-rohi. Il ne chantait pas sur la branche d'un cocotier son hymne de fraternité. Il le chantait intérieurement dans mon âme et dans cette seconde aussi m'apparut tout ce que je devais faire, tout ce qu'il était indispensable que je fisse, en vertu d'une loi profonde que j'avais moi-même déterminée par mes actes.

Je refermai la fenêtre.

Les événements s'enchaînaient harmonieusement. Les êtres se déplaçaient comme les pions d'un échiquier. Le cynique aventurier italien venait à son heure pour me permettre de réaliser, grâce à son intervention, l'idée maîtresse de ma vie.

Je souris avec bienveillance et ce sourire délivra l'homme d'un grand poids. Soit ! Je consentais à prêter la somme. Je l'avais justement dans mon coffre, en roupies de l'Inde, par suite de la vente, faite le jour même, d'une famille d'éléphants. Pas de traites. Un simple reçu.

Il signa de son véritable nom qui était Giovanni et quand tout fut fini je crois bien qu'il eut tardivement honte. Les roupies étaient dans un sac de cuir assez lourd et il le passait maladroitement d'une main dans l'autre. Si maladroitement que je crus qu'il allait les jeter… Mais non, il essaya de les faire entrer dans sa poche trop étroite. Cependant il souffrait. Il dut penser pour raffermir son âme au corps d'Inès entre ses bras et à cet abandon langoureux qu'elle avait rarement avec moi parce qu'elle devait l'avoir souvent avec lui. L'amour a de terribles nécessités.

A la porte, il commença une phrase dont il ne se tira pas et qui n'avait pas de sens exact. Je crus comprendre qu'il cherchait à me prouver le caractère spontané de sa visite. Il était venu de lui-même, personne ne le lui avait conseillé. Il tentait ainsi de dégager la responsabilité d'Inès au sujet de cette question d'argent. Elle n'était qu'une femme amoureuse, lui seul était un misérable.

Je lui pardonnai presque à cause de cela.

On se demande si certains événements sont très heureux ou très malheureux. Je ne sus jamais dans quelle catégorie ranger le départ d'Inès.

Elle avait manifesté la veille le désir d'une promenade matinale et elle avait donné ordre au cocher d'être devant la porte, avec la voiture à huit heures.

La facilité avec laquelle une femme se détache sans regrets d'un lieu où elle a vécu a toujours été pour moi une cause d'étonnement. Non, je n'eus pas de chagrin quand j'entendis, pour la dernière fois, les petits bruits familiers qu'on entend à travers la porte qui fait communiquer deux chambres, fermeture d'une serrure de sac de voyage, froissement d'un manteau jeté sur le bras, glissement d'un pas léger mais résolu. Aucun chagrin à cause du projet qui naissait en moi, qui montait des profondeurs de mon être, vers les surfaces de ma conscience, qui s'épanouissait comme un lotus au soleil.

Aucun chagrin, mais un peu de dégoût quand je vis, quelques heures après, de la fenêtre où je m'étais accoudé, le visage du cocher qui courait dans le jardin et cherchait quelqu'un à qui raconter ce qu'il savait.

Il trouva le Malais préposé aux singes. Je compris à ses gestes qu'il lui expliquait son attente sur le port, comment il avait vu sa maîtresse regagnant en canot un navire et le départ de ce navire pour Zanzibar.

Je l'entendais répéter : Zanzibar ! Sa figure reflétait un sentiment de bassesse joyeuse et satisfaite. Le Malais auquel il s'adressait répétait aussi : Zanzibar ! en riant d'un rire stupide et derrière eux un grand singe qui grignotait la coque d'une noix, s'arrêtait parfois pour grimacer et siffler et avait l'air de dire aussi : Zanzibar !

Pas de chagrin, mais le sentiment que les pièces de ma maison avaient des proportions plus vastes, contenaient moins de meubles et avaient des résonances inattendues de pièces vides.

Mais c'est alors, ce même jour, en vertu de cette étonnante loi de compensation qui préside à toutes choses, que me parvint la lettre du radjah de Djokjokarta.

LA MÉNAGERIE DÉLIVRÉE

Le rajah de Djokjokarta n'avait pas besoin de m'offrir une somme énorme. J'aurais répondu pour rien à son appel. Il craignait inutilement de m'avoir fait son offre trop tard et que le temps me manquât pour arriver le jour où l'on devait commémorer la naissance de son père. J'avais le temps. J'étais prêt à consacrer ma fortune entière à des achats de voitures, à des locations de navires. Il me demandait de venir avec les éléments les plus curieux de ma ménagerie sans oublier certain tigre de Mérapi aux proportions formidables dont il avait entendu parler. Je comptais satisfaire pleinement ce vieil amateur d'animaux, cet organisateur de combats de fauves et lui amener toutes mes bêtes, au grand complet.

Je possédais d'ailleurs presque tout le matériel nécessaire pour le voyage. C'était celui qui m'avait servi dans mes tournées triomphales de Chine. On scia, on forgea, on travailla dans mon jardin pendant des jours pour être prêt à la date fixée. Il ne fallut pas moins de soixante et dix voitures-cages pour contenir mes bêtes. Je n'eus à acheter que les chevaux nécessaires pour les tirer. Je ne laissai chez moi aucun être animé, ni une tortue, ni un oiseau-mouche.

J'avais traité avec le propriétaire des trois plus grandes jonques chinoises du port, à cause de la commodité que présentait pour mes voitures la vaste cale d'une jonque où il n'y a ni escaliers, ni cloisons, ni divisions en étages.

Tout Singapour assista à l'embarquement de la plus magnifique ménagerie du monde. Ali le Macassar m'avait précédé pour organiser notre arrivée à Samarang et se procurer les chevaux supplémentaires qui nous permettraient d'atteindre Djokjokarta dans le plus court délai possible.

La mer fut favorable. Aucun incident ne troubla le voyage. Nous atteignîmes le port de Samarang par une resplendissante après-midi et les soixante-dix voitures quittèrent les jonques avant la nuit et furent installées sur l'emplacement choisi par Ali d'où elles devaient repartir le lendemain matin.

Je constatai avec ennui que le rajah avait envoyé vers moi, par courtoisie d'abord, pour précipiter ma venue ensuite, un important fonctionnaire de son palais. C'était un Javanais âgé, obséquieux et couvert de bijoux qui s'enorgueillissait de porter le titre honorifique de Widana. Ce personnage était susceptible de gêner la réalisation de mon projet. Mais à mesure que cette réalisation approchait, je sentais en moi d'extraordinaires ressources d'habileté, des trésors de ruse en même temps que cette gaîté optimiste qui est le facteur essentiel pour triompher de toutes les difficultés.

Comme j'allais me rendre à la résidence pour obtenir le sauf-conduit nécessaire au transport de ma ménagerie à travers l'île, je rencontrai sur le port un officier que j'avais connu chez M. Varoga et avec qui j'avais sympathisé. Il se mit à ma disposition pour m'accompagner et faire abréger les formalités. Il convenait, me dit-il, de se hâter car c'était bientôt l'heure de la fermeture des bureaux et un retard de quelques minutes m'obligerait à attendre jusqu'au lendemain.

Nous nous jetâmes dans la voiture de l'envoyé du rajah qui partit au galop.

Comme nous tournions une avenue en arrivant à la résidence, une voiture qui tournait aussi nous croisa. Ce n'est pas le personnage qui l'occupait que je remarquai. Ce furent ses mains, des mains délicates, étrangement soignées et qu'il portait devant lui comme des objets précieux. Je les reconnus. C'étaient les mains de Djath.

Il me sembla que le possesseur des mains se penchait légèrement et qu'il me regardait avec fixité, mais sans me voir. Son regard passa à travers moi comme si je n'avais pas existé. Il avait déjà disparu quand je me levai pour intimer au cocher l'ordre de rebrousser chemin et de suivre sa voiture. Mais l'envoyé du rajah, me saisissant le bras, lui donna un ordre contraire d'un clignement d'œil et il me rappela avec une ferme politesse combien il était nécessaire de terminer la formalité du sauf-conduit avant la fermeture des bureaux.

— Le prince de Matarem, dit l'officier hollandais. Il relève à peine de la maladie dont il a failli mourir. Mais il est heureux maintenant. Quelle histoire romanesque !

Nous descendions de voiture. L'officier s'arrêta brusquement comme quelqu'un qui a prononcé une parole de trop et qui s'en aperçoit.

— Il est vrai, ajouta-t-il, que vous connaissez cette histoire mieux que moi.

Je voulus lui dire que non et le prier de me dire ce qu'il savait au sujet de Djath, mais le Widana m'avait pris par le bras et m'entraînait par un long couloir jusqu'à un bureau où il me fit presque entrer de force. Les formalités furent longues et l'officier nous quitta sans que j'aie pu l'interroger à nouveau.

— Le rajah de Djokjokarta a une telle curiosité pour les bêtes féroces et il vous attend si impatiemment ! me dit le Widana pour s'excuser de sa hâte quand nous sortîmes du palais du résident. Croyez-vous que nous puissions être arrivés après-demain soir ?

Je répondis qu'après-demain soir, si mes calculs étaient justes, nous coucherions aux environs de l'indigoterie de M. Varoga et que par conséquent le lendemain matin nous aurions atteint Djokjokarta.

—Le rajah sera satisfait, ajoutai-je en souriant avec une tranquille sérénité.

Des milliers de rohi-rohi chantaient dans les forêts javanaises, mais ils ne chantaient pas aussi haut que celui que j'entendais chanter en moi et dont l'harmonie merveilleuse me donnait une sorte d'ivresse permanente.

Les soixante et dix voitures cahotaient et roulaient sur les routes avec des aboiements, des grognements, des jacassements, des glapissements, des bruits de fouet et des appels de conducteurs.

Le Widana marchait en tête avec ses serviteurs. Il était monté sur une mule blanche. A sa droite un Malais à cheval tenait un parasol, à sa gauche un autre agitait un panka. Les sous-dompteurs, les gardiens, les préposés à la nourriture des bêtes faisaient derrière les voitures-cages et derrière les voitures qui contenaient les tentes, les épieux, les filets et les approvisionnements, une longue file de cavaliers et sur les pas de cette cavalcade singulière et inusitée les gens des villages accouraient et nous suivaient des yeux, béants d'étonnement.

Le soir, on déployait les tentes, on allumait les feux, on allait chercher de l'eau et ce n'était que très tard, au milieu de la nuit que s'éteignaient les cris des bêtes et des hommes.

Je fus obligé, dès le matin de notre dernière étape, de ralentir un peu notre marche car il nous eût été presque possible d'arriver à Djokjokarta avant la nuit. Le Widana m'en représenta tous les avantages et je fis semblant d'en avoir le plus grand désir. Mais je fis prolonger démesurément le repos de midi, en sorte que lorsque le soleil se coucha nous étions seulement en vue de l'indigoterie de M. Varoga, ainsi que je me l'étais promis.

Sur un coup de sifflet que je donnai, toutes les voitures s'arrêtèrent et je galopai jusqu'au Widana qui était devant, avec son escorte. Je fis signe à Ali de m'accompagner. Je représentai alors à l'envoyé du rajah combien il serait sage qu'il nous laissât ici et qu'il regagnât le soir même Djokjokarta, ce qui était possible avec son excellente mule et les bons chevaux de ses serviteurs. Il calmerait ainsi l'impatience de son maître, il annoncerait notre venue et il la préparerait. Le Widana devant mon insistance, se rangea à cet avis.

J'ajoutai d'un ton péremptoire que je tenais à ce qu'Ali l'accompagnât.

Il n'y avait aucune raison pour cela. Il y avait même toutes les raisons pour qu'il demeurât, étant donné la surveillance qu'il exerçait, les services qu'il rendait. Mais je déclarai vouloir le remplacer pendant la soirée, désirant expressément qu'un aussi excellent second pût se reposer jusqu'au lendemain.

Ils partirent. Ils n'avaient pas fait quelques pas que je rappelai Ali. Je tenais à lui serrer à nouveau la main, à serrer la main de ce vieux compagnon fidèle et taciturne. Pas autre chose.

Peut-être lut-il une partie de ma résolution dans mes yeux car il me demanda de rester auprès de moi et une émotion contenue et qu'il ne manifesta par aucun signe se dégagea de toute sa personne.

Les gardiens allaient vouloir après le dîner, se répandre dans les villages d'où l'on entendait venir au loin des clameurs de fête. Il fallait que quelqu'un passât sa nuit à veiller. Puis lui seul était au courant de la nourriture à donner à un babiroussa sauvage récemment acquis, qui ne s'habituait pas à la captivité et donnait depuis le départ des marques de désespoir.

Je fis un geste sans réplique. Je me chargeais du babiroussa. Une poignée de main et ce fut tout. Ali le Macassar suivit à cheval le Widana. Je constatai en le suivant des yeux quelle profonde tristesse il y a dans le dos des hommes qu'on ne doit plus revoir.

J'avais appris à Samarang que l'indigoterie était fermée et abandonnée depuis la mort de M. Varoga. Ce ne fut pas de ce côté que je dirigeai la caravane des voitures. Je laissai sur ma droite les trois villages et par un chemin bordé de poivriers que je connaissais, je gagnai le bord de la petite rivière, à l'endroit où il y avait un pont de bois, à peine un peu plus haut que la pente où le tigre m'était apparu pour la première fois et où le vent avait emporté mon chapeau.

Il y avait, de l'autre côté du pont, entre des champs de canne à sucre et des ananas sauvages, une assez vaste étendue de terre inculte. C'est là que je fis dresser les tentes et disposer les voitures, non selon la forme circulaire qui était habituelle, mais en longue ligne parallèle à la forêt.

On commença par donner à manger et à boire aux bêtes. Puis mes employés se groupèrent pour le repas autour de plusieurs feux, selon leurs sympathies ou plutôt selon leurs races et leurs religions. Il y avait le groupe des Chinois, le groupe des Malais et le groupe des nègres. Un Parsi de l'Inde du nord qui avait un caractère insociable et une intelligence rudimentaire était considéré comme un paria par tout le monde et se tenait à l'écart.

Je montrai ce soir-là la gaîté la plus amicale. Je fis distribuer du vin et je remarquai que tous en buvaient, y compris les musulmans. J'adressai même quelques mots au Parsi solitaire qui ne me répondit pas.

Je pensai d'abord à donner à toute ma troupe une autorisation collective de regagner les villages qui n'étaient pas très éloignés. Nous avions vu des lumières de feux et entendu des clameurs dans leur direction. On devait y célébrer la même fête qu'à Djokjokarta. Mais je pensai qu'il valait mieux avoir l'air de conserver autour des voitures une partie des gardiens pour ne pas éveiller la méfiance des autres.

Je m'assis donc familièrement autour du feu des Chinois et je leur confiai qu'ils étaient autorisés, eux seuls Chinois, pour leurs bons services à aller se divertir dans les villages que je leur décrivis comme particulièrement joyeux et dont je leur indiquai la direction. Je fis de même et si habilement pour les Malais et pour les nègres que le camp fut bientôt désert, chaque groupe étant persuadé qu'il laissait les voitures à la garde des autres groupes. Seul l'insociable Parsi ne profita pas de la liberté que je lui offris et demeura couché, la tête sous sa couverture.

Tout cela avait pris du temps. La nuit s'avançait. La lune se leva. L'immense forêt sembla se dresser tout à coup plus mystérieusement menaçante.

C'est alors que je commençai à ouvrir les cages. Il y en avait qui avaient des serrures, d'autres des crochets, d'autres des taquets, d'autres dont une partie glissait sur des rainures. Celles-là étaient les plus nombreuses parce qu'elles étaient les plus commodes pour faire passer les animaux d'une cage dans l'autre. J'en connaissais parfaitement le maniement et ce n'était pas là ce qui pouvait me gêner.

La difficulté consista à faire croire aux animaux, en présence d'une liberté subite, à la réalité de leur bonheur. Soupçonnèrent-ils quelque piège ? Ou la terreur que je leur inspirais était-elle plus forte que tout autre sentiment ? Mais ils demeurèrent à ma vue, quand je fis tourner les portes devant eux, dans une immobilité épouvantée.

Je fus obligé de saisir à pleins bras les oiseaux de nuit et de les lancer dans l'espace. Ils commencèrent par tomber comme s'ils n'avaient pas eu d'ailes. Je voyais la rondeur stupéfaite de leurs yeux, un je ne sais quoi de vexé dans le mouvement de leur cou comme s'ils avaient été victimes d'une nouvelle plaisanterie de leur bourreau. Puis soudain, presque tous ensemble, ils prirent leur vol et ils s'élevèrent très haut, très loin, par dessus la masse de la forêt, comme s'ils voulaient gagner la région lointaine des étoiles.

Les singes eurent l'air d'avoir reçu un mot d'ordre et se précipitèrent tous ensemble en gambadant au milieu du camp, cherchant à ramasser les vestiges du repas. Plusieurs me suivirent, l'un tenant une noix, l'autre une peau de banane, grimaçait derrière moi, et ce n'est que lorsque j'approchai de la cage d'un animal sauvage qu'ils prirent la fuite.

A part le babiroussa qui s'élança comme un bolide avec un formidable grondement de joie et disparut en une seconde dans la forêt, les animaux demeuraient taciturnes devant leur cage ouverte ou continuaient à sommeiller. Je fus obligé d'aller chercher un grand fouet et un épieu pour les obliger à sortir de leur rêve d'esclave et à profiter de leur liberté.

Et alors j'éprouvai une frénésie d'en finir. J'ouvris successivement toutes les cages, je fouettai, je piquai, je frappai, je courus d'un endroit à l'autre avec une extravagante activité. En quelques minutes le camp fut couvert de toutes les espèces animales de la création.

Le bruit qui domina fut le hennissement des chevaux. Ils étaient tous attachés ensemble, près du pont. Je les entendis se cabrer, tirer sur leurs courroies. Eux qui avaient pactisé avec les hommes et servaient à transporter leurs frères captifs devaient craindre les vengeances réservées aux traîtres. Mais les bêtes délivrées n'avaient pas de telles pensées. Elles luttaient contre un ahurissement profond, une tristesse infinie.

Un opossum se donnait un grand mal pour réunir ses petits qui se dispersaient. Un paon faisait la roue, mais c'était pour avoir une contenance. Un échidné épineux s'était mis en boule afin de délibérer silencieusement sur le parti à prendre. Un boa faisait un cercle parfait d'où émergeait sa tête pleine d'inquiétude et de timidité. Un korbi kalao tenta de se poser sur mon épaule pour conjurer les maux qu'il prévoyait. L'ours se balançait en rêvant. Les casoars à casque agitaient la protubérance de leur crâne et avaient l'air de dire : Qui sait ? Une girafe baissait modestement la tête. Une panthère rampait. Une famille de lions de Perse habituée à passer dans des cerceaux, marchait tristement derrière le mâle et parfois un lionceau faisait un petit bond nonchalant, à travers un cerceau imaginaire. Des hyènes ricanaient avec scepticisme. Le fils du héron que j'avais brûlé claquait du bec d'une manière sinistre. Le renard d'Australie s'éventait avec le panache de sa queue. L'âne nain secouait son oreille unique. Toutes les bêtes attendaient les ordres du tyran porteur de fouet et d'épieu. Personne ne croyait à la générosité de l'homme.

Et tout d'un coup il vint de la profonde forêt, du royaume des végétaux et des humus, un souffle aromatique, une odeur d'herbes, de pourriture et de vie, un peu humide, un peu poivrée, une essence de décomposition et de germes transportée par le vent.

Le boa se déroula. La tortue platysterne se mit à courir avec une incroyable vitesse. Le corps des panthères ondula. Un cuscus s'élança le long d'un arbre et se perdit dans les feuillages. Tous les lions se mirent à bondir régulièrement et à la file les uns des autres comme s'ils passaient à travers des centaines de cerceaux. Le tapir, comme une offrande votive, leva son nez mobile vers le ciel. Les crocodiles glissèrent. Les loups coururent. J'entendis la muraille de la forêt qui craquait, l'eau de la rivière qui résonnait, éclaboussée par des plongeons de créatures aquatiques.

Et alors, le grand tigre de Java, qui n'était pas encore délivré, se mit à rugir. Ce rugissement hâta la dispersion des animaux épouvantés dans toutes les directions. Je jetai un regard autour de moi. Les singes eux-mêmes avaient regagné les arbres, mais ils se penchaient et semblaient attendre curieusement ce qui allait arriver.

J'aperçus à la même place, la tête hors de sa couverture le Parsi solitaire qui me regardait avec un visage indifférent et stupide. Je voulus le préserver du risque que j'allais courir. Puis si je devais être déchiqueté je préférais l'être en pleine forêt.

Je traversai le camp. Je choisis deux chevaux habitués aux fauves, je les attelai à la cage du tigre borgne et je les dirigeai vers la ligne sombre des arbres. La clarté de la lune me permit de distinguer un sentier plus large que les autres dans lequel je m'engageai. J'allai assez loin jusqu'à une clairière où je m'arrêtai et où je dételai les chevaux. Un claquement de fouet et ces fidèles serviteurs des hommes repartirent par où ils étaient venus.

Nous étions seuls, le tigre et moi, au milieu de la forêt, séparés par les barreaux de sa cage. Je le considérai un instant et il me sembla que le seul œil qui vivait dans son mufle, son grand œil vert et phosphorescent était une lampe qui éclairait non seulement la clairière devant lui et les arbres qui l'entouraient, mais aussi les profondeurs infinies de mon âme.

Non. Je n'eus pas la moindre hésitation. Je voulais aller jusqu'au bout.

Ce qui se passa fut beaucoup plus simple que ce que j'avais pu confusément imaginer.

Une fois qu'on avait ôté les ferrures qui le maintenaient, on n'avait qu'à tirer à soi un côté de la cage. Cette cage était très lourde et il me fallut saisir les barreaux à deux mains pour les faire glisser. Ils glissèrent avec un grincement métallique et je me trouvai alors sur le côté de la cage. Je ne bougeai pas. Il m'aurait fallu me pencher pour voir ce que faisait le tigre à l'intérieur et je songeai à la rapidité d'un coup de patte qui m'aurait brisé le crâne. J'entendis l'être redoutable respirer et ces quelques secondes me parurent infiniment longues.

Et soudain j'eus la sensation qu'il commençait à marcher. Lentement il sortit. Il avait la tête basse et flairait. Il se détourna légèrement de mon côté en soufflant et puis plus rien, plus rien qu'un frisson de feuilles qui se prolongeait dans l'enchevêtrement des lianes où il s'était élancé avec une vertigineuse vitesse.

Un sentiment de solitude tel que je n'en avais jamais eu pesa sur moi. Ce n'était pas encore l'heure où les rohi-rohi commencent à chanter dans les cocotiers. Je regardai anxieusement à droite et à gauche. N'avais-je pas réalisé ce que je voulais ? Tout cela était bien ainsi.

Je me mis à pleurer.

TROISIÈME PARTIE

LE SOLITAIRE DE LA FORÊT

Il pleut. La pluie fait un grand bruit, sur les feuilles, très haut. Je ne la vois pas tomber. Elle suinte, elle pénètre, elle baigne toutes choses. J'en profite pour écrire ces dernières lignes sur ma manière de vivre. Je regrette d'avoir laissé à Singapour le cahier où j'ai consigné les principaux événements de ma vie. Comme je rirais maintenant, de sa complète stupidité, si je pouvais le relire ! Comme je suis différent de ce que j'ai été ! Mais pourquoi s'en étonner ? Les arbres perdent leur écorce et les animaux leur poil. L'homme se dépouille aussi de ses vieilles idées et il en acquiert de nouvelles qui sont plus jeunes et plus solides.

J'habite la cabane de l'ascète Chumbul. Depuis combien de temps ? Je ne sais pas. Peut-être quelques jours, peut-être des semaines. En marchant au hasard droit devant moi, au milieu d'un épais massif de nipas, de pandanus et d'orchidées parasites, j'ai rencontré cette cabane faite de branches grossièrement enfoncées dans le sol et jointes avec des lianes. L'ascète Chumbul était assis à côté de la cabane, les jambes croisées, en train de méditer. J'ai attendu qu'il ait fini, puis j'ai toussé fortement pour éveiller son attention. Je me suis approché de lui et j'ai compris, par le mouvement en avant de son buste, que sa tête avait acquis cette pesanteur que la mort donne au crâne humain. J'ai creusé une fosse au pied d'un nagah en fleurs, avec un bizarre outil que j'ai trouvé dans la cabane et j'ai enterré l'ascète. J'avais tout d'abord fabriqué une croix avec deux morceaux de bois et j'allais la piquer en terre quand je me suis souvenu que l'ascète était bouddhiste et que cet emblème l'aurait peut-être contrarié, s'il avait pu le voir.

Maintenant j'habite sa maison, à côté de son tombeau et, désireux de lui rendre honneur de quelque manière, en échange de son hospitalité, je répète matin et soir, devant le nagah qui l'abrite, cette sorte de prière ou d'invocation que je lui ai entendue chanter dans le soir et qui est revenue à ma mémoire :

— Om, Mani, Padmé, Aum.

Je n'imaginais pas qu'on pût être si bien, solitaire, au milieu d'une immense, d'une profonde, d'une amicale, d'une maternelle forêt. Comme cet ascète était avisé sous sa déplorable maigreur ! Il avait trouvé la meilleure manière de vivre. Je viens de penser, tout d'un coup, aux milliers de sots qui montent en calèche l'avenue royale de Singapour, qui échangent entre eux des saluts ou contemplent les magasins chinois et je suis parti d'un éclat de rire si bruyant qu'il a presque couvert le bruit de la pluie sur les feuilles.

Ce qui caractérise la vie dans la forêt, c'est le grand nombre des occupations qui absorbent tout votre temps. Il faut trouver les manguiers et les cocotiers pour sa nourriture, il faut atteindre la rivière, dans un endroit où elle est profondément encaissée sous un hermétique couvercle de feuilles et y puiser de l'eau avec la cruche de Chumbul. Il faut ramasser des feuilles pour avoir une couche saine et de jeunes branches pour reposer sa tête sur un oreiller agréable.

Puis je me suis mis en tête d'accomplir divers travaux. Il y a près de la cabane plusieurs fourmilières auxquelles la pluie a causé de terribles dommages. Je viens de voir des galeries souterraines mises à jour et une foule d'ouvriers au corps étroit transportent avec de grandes précautions de petits objets qui sont des larves, des sacs de provisions ou des idoles peut-être. J'ai commencé des constructions de bois au-dessus de ces fourmilières afin que la pluie se déversât à droite et à gauche de leurs ouvertures et ne bouleversât plus les demeures si laborieusement bâties.

Dans les branches d'un banian proche il y a plusieurs familles de singes gibbons à mains blanches. J'ai observé que les nids qu'ils construisaient en feuilles de fougères tressées n'étaient que des abris médiocres contre la pluie, soit parce que ces singes n'étaient pas naturellement ingénieux, soit parce qu'ils n'avaient reçu qu'une tradition ancestrale insuffisante. Je profite de leur absence pour m'élever de branche en branche et déposer au-dessus de ces nids une sorte de toit solide en feuilles de palmier que j'ai attachées entre elles.

J'ai eu la surprise de voir un matin, et de reconnaître un de ces gibbons, suspendu à une branche très élevée. Il se livrait au soleil levant à des exercices de trapèze et de saut périlleux qu'Ali le Macassar avait enseigné à quelques gibbons de ma ménagerie. J'ai été heureux de penser que celui-là avait rapidement trouvé une famille de sa race pour l'accueillir.

J'ai passé plusieurs jours à monter et à descendre la rivière et j'ai même suivi le cours de quelques ruisseaux qui y aboutissent dans l'espoir de rencontrer des castors, car je ne cesse pas de penser à celui que j'ai fait mourir en le privant de ses enfants. Des castors ! Où y a-t-il des castors ? Avec quelle allégresse je les aiderais à creuser leurs terriers, à bâtir leurs huttes, à cimenter leurs digues ! J'ai même été tenté de barrer à tout hasard un ruisseau afin de les attirer. Mais j'ai réfléchi qu'ils n'étaient constructeurs de digues qu'en vertu de savants calculs d'architecte et pour protéger leurs villes riveraines des inondations. D'ailleurs la vue d'un homme les ferait fuir. Je ne suis pas sûr de pouvoir payer la dette du castor.

Je cherche aussi des hérons et des perroquets sans savoir dans quelle mesure je pourrai leur être utile. J'en aperçois quelquefois mais ils s'enfuient aussitôt comme s'ils avaient une horreur extraordinaire de moi.

Et je regrette de ne pas être un merveilleux musicien et de ne pas posséder tous les instruments de musique de la Chine pour faire résonner au coucher du soleil quelque suave kin, quelque divine raga et enchanter d'une parfaite harmonie les délicats béos au plumage diapré qui abritent sous les feuilles leur inconcevable sensibilité.

Eva m'a dit que cette forêt est une des plus anciennes de la terre et qu'elle renferme de grands mystères.

Un de ces mystères doit être relatif à un éléphant étrange que j'ai aperçu deux ou trois fois, tantôt cheminant avec lenteur dans un sentier, tantôt arrachant de jeunes branches pour s'en nourrir. Il est couleur de cendres et ressemble singulièrement à Jéhovah que j'ai tué. Je pourrais même croire que c'est lui qui a échappé à mon coup de fusil si je n'avais pas eu les échos de diverses plaintes de propriétaires de Singapour arrivées à la résidence au sujet des émanations causées par son cadavre. Cet éléphant n'est pas très craintif. Il gambade parfois joyeusement, comme faisait Jéhovah quand il m'apercevait, et tout à l'heure il s'est tenu immobile à une petite distance de moi, la trompe basse, avec une tristesse infinie dans ses petits yeux. Je suis surpris de la manière dont il glisse plutôt qu'il ne marche et dont il disparaît tout à coup sans que je puisse savoir par où il est passé.

Ma merveilleuse faculté de sommeil me permet de m'endormir tout de suite après le coucher du soleil. Mais cette nuit, je m'éveille brusquement et je me dresse sur mon séant au milieu des feuilles de fougère dont je recouvre mon corps comme d'une couverture pour éviter la fraîcheur nocturne. J'entends, venant de très loin et se rapprochant, une voix qui m'appelle.

C'est une voix à l'accent terrible que je reconnais sans l'avoir jamais entendue pour celle qui, jadis, a appelé Eva dans le temple de Ganésa. Elle tient du grognement et de l'aboiement, elle est triste et basse, singulièrement inquiétante et elle domine les bruits du vent et l'agitation frissonnante des arbres qui se rapprochent entre eux. Parfois, cette voix est déchirante et d'autres fois elle a une allégresse entraînante qui m'oblige presque à me dresser, à ouvrir la porte et à m'élancer au dehors.

Mais je sens que si j'obéissais à la voix, ce n'est pas sur mes deux pieds que je me mettrais à courir, c'est à quatre pattes comme les bêtes. Elle vient de retentir derrière le massif de nipas et de pandanus et j'ai failli répondre par un long hurlement de loup et j'ai hésité pour savoir si je me mettrais à ramper comme un serpent ou à sautiller par petits bonds comme un kangourou. Je suis demeuré à ma place, le cœur battant. La voix a changé de direction comme si elle appartenait à un être errant, à une âme en peine, à quelque bête surnaturelle possédant un secret magique. Il y a une puissance d'attraction animale dans cette voix et c'est à cette attraction qu'a obéi Eva.

Je résiste, tenant droite et haute ma tête d'homme. Mais je me surprends à faire quelques gestes inhabituels. Je gratte le sol de la main comme avec une patte. Je sens sur mon visage une grimace qui me fait ressembler à un singe gibbon quand il est effrayé.

La voix s'éloigne. Je cherche quelle peut être sa signification, quelle est sa puissance. A-t-elle résonné vraiment dans les nipas et les pandanus, ou seulement dans mon âme ? Y a-t-il dans ce délire de la vie végétale qu'est la forêt une force désorganisatrice qui tend à faire rétrograder l'homme dans l'échelle des êtres ? Pourquoi cette voix est-elle perceptible pour moi cette nuit, tandis qu'elle ne l'a pas été la nuit du temple de Ganésa ? L'ascète Chumbul ne devait pas l'entendre et Eva l'a entendue. Peut-être un homme absolument matériel comme je l'étais alors, un homme absolument dégagé de la matière comme l'était l'ascète, n'avaient-ils pas les sens nécessaires pour être atteints par la voix nocturne ? Tandis que la jeune fille qui avait ouvert les portes de son âme, l'homme qui avait délivré les animaux de la ménagerie avaient tous les deux sans le savoir trouvé un chemin de communication avec le monde inconnu où vibrait la voix étrange.

Je médite sur ces choses et je ne m'interromps que pour souhaiter avec ardeur l'apparition du soleil levant.

Il vient enfin, plus tard qu'à son ordinaire, me semble-t-il.

Je fais quelques pas au dehors. J'aperçois le singe savant qui exécute déjà ses exercices de trapèze et je pousse un cri de surprise. Au pied du banian dont le tronc se dresse vis-à-vis de ma cabane, il y a une petite statuette de terre cuite que quelqu'un a dû venir déposer là pendant la nuit.

Je la regarde, je la tourne dans tous les sens. Cette statuette représente une déesse inconnue, dans une pose de méditation. Le corps est celui d'une femme, mais elle a une tête de truie et cette tête animale dont les yeux sont tournés vers le ciel a une singulière expression d'élévation et de bonté idéale.

Est-ce que Monsieur Muhcin ne m'avait pas parlé d'une certaine déesse Dorjé-Pagmo qui avait justement cette tête-là, le jour où il me demanda s'il n'y avait pas une lamaserie du femmes dans la montagne de Mérapi ? Cette statuette est-elle protectrice ou menaçante et qui a pu la déposer là ? Qui a découvert ma retraite ? Il n'y a aucune trace visible de pas. J'installe la statuette dans ma cabane et même je lui dresse un petit autel avec quelques pierres.

J'ai passé la plus grande partie de ma journée à chercher des fruits autres que des mangues car mon estomac commence à être las de cette nourriture uniforme. Mais je n'ai trouvé ni arbre à sagou, ni jacks, ni dourians. Dans l'espoir d'en rencontrer je suis allé très loin sur les hauteurs en remontant le cours de la rivière, mais sans en quitter les bords, car je tiens à retrouver la cabane et la statuette à tête de truie qui constituent pour moi un foyer primitif.

J'ai marché sur un plateau où la végétation était moins abondante et il m'a soudain semblé apercevoir, au milieu des rochers rougeâtres, un amas de pierres de même couleur qui avaient l'air d'une bâtisse construite par la main des hommes. Je me suis avancé et j'ai distingué une muraille circulaire, une tour basse et carrée. Est-ce là la lamaserie de ces nonnes bouddhistes dont Eva me parla et par lesquelles elle a pu être recueillie, la nuit de sa fuite ? La muraille s'incline sur la pente de la montagne et je crois voir un jardin intérieur avec de vagues dessins d'avenues. Mais je ne distingue aucune trace de vie, aucune silhouette humaine, je n'ose m'approcher et je redescends par où je suis venu quand le soleil va se coucher.

J'ai oublié la recherche des fruits et, comme les mangues m'écœurent, je n'ai pas mangé et j'ai un peu de vertige. Je m'endors mais je me réveille plusieurs fois. J'entends la voix nocturne, la voix animale, la voix tentatrice qui m'appelle. Elle me dit de venir lamper au ruisseau avec les bêtes, de grimper aux arbres, de chercher des proies pour les mordre à pleines dents, mais il me semble que la voix est plus lointaine, plus affaiblie et qu'elle diminue encore lorsque je touche de mes mains la statuette de Dorjé-Pagmo sur son autel de pierre.

Une nouvelle surprise m'attend quand le jour se lève.

Il y a, à côté de ma porte, un vase de grès rempli d'une abondante bouillie de riz cuit. Je la mange avec une extrême satisfaction, tout en m'étonnant de son origine mystérieuse. Je me promets de faire le guet, la nuit prochaine, pour savoir quel est l'être qui veille sur moi et m'apporte tour à tour, l'image d'une déesse pour protéger mon esprit et une bouillie de riz pour nourrir mon corps.

Ma faculté de sommeil est trop grande. Chaque soir je dépose devant ma porte le vase de grès que j'ai vidé et chaque matin je le retrouve plein. Mais je n'arrive pas à veiller suffisamment longtemps pour découvrir quel est le protecteur silencieux qui n'hésite pas à s'aventurer dans la forêt pendant la nuit et à en braver les dangers pour m'apporter ma nourriture.

Je remonte presque chaque jour la rivière et je contemple de loin la tour carrée de la lamaserie. A force de regarder aujourd'hui la pente de la montagne comprise entre les murailles, il m'a semblé voir une procession de silhouettes en robes rouges, une lente procession de créatures recueillies. Est-ce que ce sont là les lamas rouges dont j'ai entendu parler ? les lamas femmes dont l'abbesse est une Khoutouktou ? Qu'est-ce que c'est qu'une Khoutouktou ?

Mais en descendant la rivière, j'ai cru voir cette procession qui me précédait et quand je me suis détourné il m'a bien semblé que je la voyais disparaître avec lenteur dans un bois de palétuviers chevelus.

J'ai, ce jour-là, fait fortuitement la rencontre du temple de Ganésa et je me suis rendu compte qu'il était assez proche de la lamaserie. Cela rend plus vraisemblable l'hypothèse qu'Eva en fuyant a été recueillie par les lamas.

J'ai marché dans les galeries, j'ai descendu les escaliers, j'ai traversé la cour intérieure. J'ai vu les statues d'animaux, les éléphants caparaçonnés, les pythons de marbre enroulés sur eux-mêmes, les buffles à demi ensevelis sous les plantes parasites. Le mystère de jadis était toujours là.

Les Ganésa dans leur cellule de pierre tendaient les mêmes objets avec leurs quatre bras, au-dessus de leur gros ventre. Pourquoi ces objets plutôt que d'autres ? Je me suis creusé la cervelle pour trouver une explication. Une conque, un disque, une massue, un lotus, pourquoi Ganésa tend-il ces objets ? Peut-être parce que l'abondance, le courage, la force et la beauté sont les qualités que produit la sagesse en méditation.

Mais comme la sagesse est impressionnante quand ses symboles sont reproduits circulairement et qu'il y en a des centaines ! J'ai été soudain saisi d'un frisson et d'une éperdue envie de fuir.

Sur le chemin de ronde qui domine le monument, une confuse procession rouge cheminait à travers les pierres.

Je me surprends à avoir de violents regrets relatifs aux livres. Il y a des choses que j'aimerais savoir et que je saurais si j'avais lu. A quoi peuvent bien penser ces nonnes et ces moines bouddhistes qui s'enferment dans des couvents ? Je sais pourquoi les nonnes et les moines de l'Occident se sont volontairement retirés du monde et ont renoncé à ses plaisirs. Ils obéissent à Notre-Seigneur Jésus-Christ qui le leur a conseillé. Mais ces païens ? Je me souviens qu'à Singapour les hommes les plus honnêtes et les plus désintéressés étaient des bouddhistes. Je me moquais d'eux parce qu'ils ne mangeaient pas d'animaux. Je disais en parlant des Jésuites de Bukit-Timah : voilà de vrais prêtres ! Ils chassent, ils tuent comme moi et ils mangent le gibier avec des appétits d'ogres. Le seul prêtre bouddhiste qu'il m'a été donné de connaître, je l'ai tout de suite détesté et je l'ai fait condamner injustement comme voleur. Maintenant le rohi-rohi a chanté pour moi, je ne voudrais pour rien au monde manger de la chair d'un animal, et quel sacrifice ne suis-je pas prêt à accomplir pour retrouver le lama au chapeau de paille et lui poser quelques questions.

Je lui demanderais ce que les animaux sont, par rapport aux hommes, qu'est-ce que c'est que cette histoire de réincarnation dont j'ai entendu parler comme d'une croyance hindoue et que j'ai toujours considérée comme une absurdité des païens. Je lui demanderais ce que c'est qu'une Khoutouktou, ce que c'est qu'un lama et de me donner des détails sur la personnalité de ce Manou qui a dit ou écrit cette phrase que je n'ai pas oubliée :

— Celui qui a tué un chat, un geai bleu, une mangouste ou un lézard, doit se retirer au milieu de la forêt et se consacrer à la vie des bêtes jusqu'à ce qu'il soit purifié.

Je lui demanderais s'il est vrai, comme je le crois, qu'il y a des rois, des prêtres et des sages parmi les animaux, c'est-à-dire des êtres plus avancés que les autres dans l'évolution et si ce sont eux qui passent les premiers dans le règne humain, de même que parmi les hommes, ceux qui sont purs comme monsieur Muhcin atteindront un stade supérieur à l'humanité bien avant ceux qui sont sots comme mon cousin, fats comme le capitaine Giovanni, grossiers comme moi-même. J'ai connu un souverain redoutable des bêtes, le tigre de Mérapi ; un magicien versé dans la science des envoûtements, le crapaud qui tua ma mère ; un affectueux et fidèle ami, un ange de délicatesse, l'éléphant Jéhovah. Je lui demanderais dans quelle mesure il y a des récompenses et des châtiments pour les vertus et les fautes animales, et si ce n'est pas nous qui, avec notre impitoyable haine, rejetons les bêtes vers le mal dont elles voudraient s'échapper. Je lui demanderais si la solitude dans la forêt, prescrite par Manou, est suffisante pour la purification et si celui qui a écorché ne doit pas être écorché, si celui qui a mangé ne doit pas être mangé à son tour.

Je me suis retiré au milieu de la forêt et je commence à me purifier.

Le premier qui est venu est le babiroussa sauvage que la captivité avait jeté dans le désespoir. J'étais assis devant la cabane quand il a paru dans les buissons. Il a labouré le sol avec ses défenses. Il s'est tenu immobile en me considérant, puis il est reparti avec une vitesse inimaginable.

Mais il est revenu grogner et s'accroupir à quelque distance de moi. Je sens qu'il n'a aucune terreur et même qu'il me manifeste l'amitié d'un compagnon pour un autre compagnon de la forêt. Mais son amour de la liberté est si grand qu'il préfère laisser un certain espace entre nous. On ne sait jamais ! a-t-il l'air de se dire. Il ne demeure jamais longtemps. Il traverse les lianes enchevêtrées comme un bolide et à chaque retour ses grognements ont quelque chose de plus familier.

Je me rappelle l'histoire de saint Antoine qui me fut contée dans mon enfance. Cet ermite égyptien avait aussi un cochon pour ami dans sa solitude. Est-ce dans la destinée de tous les ermites ou cela tient-il à la parenté qui rend si proches l'espèce humaine et l'espèce porcine ?

A cause de l'exemple du babiroussa le singe trapéziste est descendu de branche en branche et a fini par élire domicile sur le toit de ma cabane. Il s'y tient toute la journée et il ne le quitte que pour aller précipitamment faire du trapèze et des sauts sur le banian, aux mêmes heures régulières où Ali le Macassar apparaissait devant sa cage en faisant claquer sa cravache.

Puis presque en même temps sont venus les opossums, une mangouste, des orangs et un tapir de Bornéo. Je reconnais le tapir comme étant celui qui m'a appartenu à ses rayures en zigzag, à sa queue trop courte, à son nez trop long, à ses oreilles bordées de blanc. Il me regarde avec ses petits yeux latéraux qui sont remplis de mélancolie. Il n'y a pas de tapirs à Java. Celui-là a dû errer à travers la forêt, longer la rivière, plonger dans ses eaux, car il est un peu amphibie, dans l'espoir de rencontrer une créature faite à son image, avec une épaisse peau comme la sienne, une queue minuscule, un nez mobile et trop long. Il a besoin de ne plus être seul et il manifeste par de rauques sifflements sa satisfaction de me rencontrer. Mais il s'appuie contre ma cabane et j'ai peur qu'il ne la détruise par son poids. Je me hâte de lui faire un petit tas de tendres feuilles de cassier dont je le sais friand, afin de le faire changer de position.

Et d'autres animaux viennent encore. Des paons font de grandes étoiles dans les buissons, des salanganes blanches volent au-dessus de ma tête, un renard montre son museau curieux, un menura superbe à queue lyriforme allonge son cou non loin de moi et la tortue de la rivière Tachylga, reconnaissable aux caractères thibétains de son écaille, vient manger des boulettes de riz que je pétris pour elle de mes mains.

Cette nuit, c'est la pleine lune. Elle s'est levée extraordinairement tôt et elle découpe les branches des arbres, elle dessine les sentiers, elle fait du ciel, de la terre et de la forêt, un grand paysage de marbre glacé.

J'ai fait entrer dans la cabane, pour y dormir à côté de moi, un jeune opossum roux que sa famille a oublié en s'en allant chercher un coin commode pour passer la nuit. Il s'est installé au pied de la statuette de la déesse, mais de temps en temps il vient se poser sur ma poitrine et il la gratte avec la patte comme s'il voulait y faire un trou. Je me réveille et je me réjouis de ce réveil que je prolonge le plus longtemps possible, dans l'espoir qu'il me permettra de découvrir quel est le mystérieux porteur de riz.

Et comme je guette le silence à travers les fentes de ma cabane, je suis enfin exaucé.

Le pas que j'entends est très léger. C'est celui d'un homme qui marche doucement sans chercher à déguiser le bruit qu'il fait. Je le vois écarter les lianes de la main droite. Sa main gauche tient une jarre suspendue à une courroie. Il est vêtu d'une robe de cotonnade rouge qu'une ceinture serre au milieu du corps et je crois bien qu'il porte sous cette robe un pantalon européen ridiculement court. Il n'y a aucun mystère dans son allure. Il s'avance comme un homme qui accomplit une tâche simple et quotidienne, il verse dans la jarre qui est devant la cabane le contenu de celle qu'il apporte. Il le fait méticuleusement. Il la retourne jusqu'à ce que le dernier grain de riz soit tombé et il s'en va comme il est venu, en balançant, au bout de la courroie, la jarre vide.

C'est lui. Je viens de le reconnaître. C'est le lama que j'ai fait condamner à la prison. Mais d'où vient que je ne m'élance pas sur ses traces et que je ne tombe pas à ses genoux pour lui demander pardon ?

Je demeure à ma place, la main posée sur le cou du petit opossum et une grande joie m'emplit le cœur. Je sens que les paroles entre nous sont inutiles et qu'il y a dans le don nocturne du riz une fraternité qui n'a pas besoin de langage pour être exprimée, un pardon silencieux comme Dieu lui-même n'en donnerait pas de meilleur et qui ne demande pas de remerciements.

Cette nuit-là je ne me suis pas rendormi.

Le crayon avec lequel j'écris va être entièrement usé et je vais avoir rempli bientôt le dernier feuillet de mon carnet. A quoi bon écrire, d'ailleurs ? J'ai appris en écrivant ce qui m'arrivait et ce que j'éprouvais, tout ce que j'étais susceptible de m'enseigner à moi-même.

Je déposerai ces feuillets ici pour que ceux qui me cherchent les trouvent et puissent déduire par cette lecture que leur recherche est inutile et importune. Car on me cherche. J'ai entendu ces nostalgiques bruits de tam-tam où il y a des souvenirs de fêtes d'enfance et des évocations d'Eva perdue. Cette cabane est trop proche des endroits où vivent les hommes. Demain matin je me mettrai en marche vers le sommet du mont Mérapi où est le cratère d'un volcan et qui passe pour inaccessible.

Je suis né des bêtes, ce sont elles qui m'ont engendré. Elles se tiennent au delà de mon père et de ma mère qui appartenaient à la race des hommes et je les vois toutes qui me font des signes. Que de poils, que de plumes et que de nageoires ! Mes ancêtres sont réunis autour de moi, ils lèvent des trompes, ils font claquer des mâchoires, vibrer des antennes, crépiter des mandibules. Je distingue le geste de prière de leurs mains palmées, je devine sous des rotondités de crânes l'effort de pensées patientes. Tous ils ont été laborieux à leur manière, ils ont mis au monde une espérance. Le crocodile sous les vases des fleuves, le singe dans son domaine d'écorces et de feuilles, l'oiseau dans l'air, le fauve dans son mystérieux charnier, la taupe dans ses ténèbres souterraines, chacun a inconsciemment formulé le désir de vivre sous une enveloppe plus parfaite, avec des organes plus compliqués, deux jambes seulement, pas de poils et pas de plumes, une tête d'homme. Je suis l'enfant entrevu dans ces méditations millénaires, je suis le dernier mot de la bête, ce que l'effort terrestre a eu tant de peine à modeler, je suis la bête elle-même dans sa dernière incarnation.

Je vous aime, ô mes parents porteurs d'écailles ; vous qui avez quatre pattes pour marcher, vous qui avez d'épaisses fourrures et ne pouvez les ôter s'il fait chaud, vous qui êtes nus et n'avez pas l'ingéniosité de vous recouvrir de vêtements, vous dont le principal souci est la nourriture de chaque jour, vous à qui la nature a fait des becs pesants, des bosses difformes, des cornes embarrassantes, des cous disproportionnés, je vous aime pour l'insouciance, pour la résignation, pour la fidélité qui sont vos vertus essentielles, le présent que j'ai reçu de vous et dont j'ai fait si peu de cas.

J'ai franchi, pour vivre à vos côtés, la porte des hauts ébéniers qui se dressent au seuil de la forêt et je suis entré dans le royaume de mes pères. Ma haine s'est changée en amour et je comprends ce qui m'était demeuré caché. J'entends des paroles pleines de tendresse dans les jacassements des perroquets ; je vois des élégances incomparables et un merveilleux sentiment de la beauté dans la grâce un peu maniérée avec laquelle le geai bleu lisse ses plumes ; je pénètre les entretiens philosophiques des immobiles marabouts et je demeure plein de respect devant le sentiment de la mort que révèlent les enterrements des fourmis.

O mes parents, au cœur si vaste et si simple, je jure de ne plus me servir de mon intelligence qui est la vôtre pour vous détruire. Votre vie sera désormais à mes yeux aussi précieuse que la mienne. Mais comme la chose la plus naturelle est difficile à réaliser ! Me voilà rempli de scrupules. Comment me délivrer de l'importunité du moustique avec assez de délicatesse pour ne pas lui donner la mort ? Mon Dieu ! N'ai-je pas tout à l'heure écrasé un ciron inoffensif qui passait sur la pierre où j'ai posé le pied ! Et si je respire avec force, n'y a-t-il pas de minuscules et innocentes créatures que je projette loin du soleil, dans les ténèbres de mes organes, et qui y périront injustement ?

LA DERNIÈRE NUIT DANS LA CABANE

C'est un froissement régulier, langoureux, terrible en même temps, qui glisse sur les murs en branches de ma cabane et qui me réveille durant la dernière nuit que j'y passe.

La lune est tellement éclatante que l'on y voit presque comme en plein jour et que je me demande tout d'abord si ce n'est pas quelque prodige céleste qui a enfanté cette clarté intermédiaire entre la nuit et la lumière du soleil.

Qu'est-ce qui fait ce bruit si proche ? Je regarde et il me semble d'abord voir une procession de lamas rouges. Ils vont tout doucement et ce que j'entends est le froissement du coton de leur robe sur le bois.

Mais non. Comment n'y avais-je pas pensé plus tôt ? Comment n'est-il pas venu plus tôt ? C'est le tigre de Mérapi, le tigre borgne, le tigre géant, celui que j'ai martyrisé, moi, l'homme.

A travers les interstices des branches je vois son mufle énorme, son œil vert et phosphorescent et il me semble que la cabane craque légèrement quand son dos s'y appuie en glissant. Je songe que la porte est fragile, ne tient qu'avec une petite liane nouée qui forme crochet et que le plus léger coup de patte la ferait ouvrir.

Mais je n'ai aucune terreur. J'éprouve même une bizarre allégresse, celle de ne pas savoir ce qui va exactement se passer.

Jamais je ne suis entré dans la cage du tigre, jamais je ne me suis trouvé face à face avec lui. Ma rage ne s'est exercée qu'à travers des barreaux et il a dû accumuler en lui, comme seules peuvent le faire les bêtes, une somme extraordinaire de vengeance insatisfaite. Je connais cette faculté animale qui permet de garder pendant des années dans la mémoire le souvenir de l'offense.

J'entends le tigre gronder derrière le mur de la cabane. Il ondule, il cherche une ouverture, il attend.

Et moi, assis à côté de la statuette de la déesse Dorjé-Pagmo, de la déesse à tête de porc, je songe que j'ai injustement torturé cette créature sauvage, car le tigre de Mérapi n'avait pas dévoré Eva, la nuit du temple de Ganésa. Je le sais en cet instant avec une certitude absolue.

Je me mets à réfléchir.

Le tigre peut très bien tourner autour de la cabane et ne pas évaluer sa solidité, ne pas penser à donner un coup de patte sur la porte. Les animaux, quelquefois si ingénieux, sont d'autres fois plus naïfs que des enfants en bas âge.

Si j'élevais sévèrement la voix tout d'un coup et si je lui donnais l'ordre de partir, peut-être s'éloignerait-il docilement. Il m'a si longtemps vu et entendu commander comme un maître. Puis, il y a dans la parole humaine une organisation rythmée qui impressionne les bêtes. Je me souviens d'un chasseur d'Australie qui échappa à des loups qui l'entouraient rien qu'en leur criant, à voix intelligible, l'ordre de partir.

Mais je ne veux pas intimider le monstre borgne que je me suis plu si longtemps à torturer. Il y a en moi un confus désir, même davantage, il y a une nécessité de me trouver désarmé en sa présence.

Non seulement je n'ai pas de haine contre ce tigre, qui a été le cauchemar de mon existence, mais encore j'ai pour lui de la pitié à cause de sa fureur aveugle de tuer, une sorte de sentiment fraternel à cause de la ressemblance que j'ai eue avec lui.

Je regarde au dehors. Le tigre tourne et gronde. L'imaginaire procession des lamas rouges a disparu. La rayonnante nuit a cristallisé la forêt et fait de chaque arbre un bloc d'argent ciselé. Il me semble que mon esprit est baigné dans le ruissellement des vérités premières et qu'il va s'élancer dans l'espace illimité.

Je me suis levé et je me suis approché de la porte. Un rayon de lune tombe juste sur le front de la statuette de la déesse. J'examine la liane nouée par Chumbul et qui forme un crochet primitif. Je donne un tout petit coup avec mon doigt et je fais sauter ce crochet.

D'ordinaire la porte s'ouvre toute seule. Cette fois-ci elle n'a pas tourné. Je comprends aussitôt pourquoi. Le tigre est appuyé contre la porte. Il n'y a plus qu'à donner une petite poussée, le tigre se déplacera, la porte s'ouvrira et nous serons face à face.

J'ai écrit ces dernières lignes à la clarté de la lune et avec assez de peine parce que mon crayon n'est plus qu'un ridicule petit bout de crayon. Je déposerai les feuillets sur lesquels j'écris au pied de la statuette de la déesse, puis je pousserai la porte.

O seigneur, je suis la bête. Donne à mon âme la fraternité nécessaire pour être compris et aimé par les bêtes. Fais rayonner de mon corps l'amour que j'éprouve afin qu'il se répande sur mes frères de la forêt. Permets-moi de les aider et de les guider afin qu'ils deviennent meilleurs, comme je le suis devenu.

Et je trace encore pour terminer cette prière que je ne comprends pas et que je répète à haute voix :

— Om, Mani, Padmé, Aum.

LA LETTRE DE MONSIEUR CHARLEX

Voici la lettre de Monsieur Charlex, chargé par le gouvernement français d'une mission archéologique à Java et que j'ai trouvée épinglée à la suite des deux manuscrits que je publie. Le premier de ces manuscrits forme un grand cahier dont certaines pages ont été arrachées et il est écrit dans une écriture ferme et régulière. Le second a été griffonné plutôt qu'écrit sur les feuillets d'un petit carnet de poche. La lettre de Monsieur Charlex les complète. On peut déduire de sa lecture qu'au moment de son départ pour Java, Monsieur Charlex fut prié par le possesseur des mémoires du dompteur Rafaël Graaf de faire une enquête sur leur auteur à Batavia et à Djokjokarta.

Batavia, 1er mai 1874.

Ce que je vous écris n'est que le résumé rapide de mes recherches. J'ai tant de notes à recopier, tant de croquis et de reproductions de bas-reliefs à classer et à mettre au net que j'ajourne à mon retour en Europe des explications plus détaillées. Je n'ai, du reste, que peu de choses à vous apprendre.

J'ai questionné dès mon arrivée à Batavia toutes les personnes de la société hollandaise qu'il m'a été donné de connaître. Toutes sont au courant de ce qui est arrivé il y a quelques années à Djokjokarta. Mais il me semble qu'après avoir passionnément commenté l'événement on s'en est désintéressé. Chacun conclut de la même façon.

— Le dompteur de Singapour, celui qu'on a surnommé l'homme qui vit avec un tigre, était une brute que Mademoiselle Varoga a connu pour son malheur. Il est devenu fou, tant pis pour lui. Existe-t-il encore ? C'est possible et cela n'a pas d'importance. Mademoiselle Varoga est maintenant princesse de Matarem et elle vit très heureuse aux environs de Bantam, dans les domaines de son mari, le descendant des anciens empereurs de Java, qui est un poète et un érudit.

On ajoute en parlant d'elle des phrases telles que les suivantes :

— Quelle créature romanesque ! C'est une hurluberlue qui s'est assagie. Elle avait déjà fait plusieurs fugues, notamment à Singapour, où elle courait les fumeries. Elle fait partie de ce genre de femmes qui aiment les poètes, les dompteurs et les officiers de marine. Mais comment expliquer qu'elle s'est enfermée dans un couvent de nonnes bouddhistes dont le prince de Matarem eut beaucoup de peine à la faire sortir ? C'est peut-être que le bouddhisme a un puissant attrait sur certaines âmes.

Le capitaine d'un vaisseau de commerce français qui avait fait escale à Singapour m'a dit qu'un procès était engagé là-bas entre Mme Graaf, installée à Zanzibar, et un cousin du dompteur qui habite Goa. La fortune et les propriétés de Rafaël Graaf ont été mises sous séquestre.

Mais il est arrivé que sous l'influence du climat, les jardins de Singapour, sur l'emplacement desquels était jadis la ménagerie, sont devenus une forêt vierge. Dans cette forêt vierge des crocodiles qui avaient dû être oubliés ont pullulé et constituent maintenant un danger pour le quartier chinois.

Je vous rapporte à peu près mot à mot une phrase que j'ai entendue dire à un professeur au lycée de Batavia, qui passait pour très versé dans la connaissance du bouddhisme et des religions de l'Inde. Cette phrase n'a qu'un rapport assez éloigné avec l'histoire du dompteur de Singapour et elle ne fut pas prononcée à son occasion, mais elle permet toutefois des rapprochements assez troublants.

Ce professeur parlait des pouvoirs acquis par certains fakirs à la suite de longues méditations.

— Les fakirs ont une connaissance secrète de la puissance du son. Ils arrivent à enfermer dans les vibrations causées par certaines syllabes des influences qui agissent à distance sur ceux qui entendent ces syllabes. Ils instruisent leurs disciples et ils prétendent les rendre meilleurs, plus élevés dans la hiérarchie des êtres, rien qu'en leur faisant répéter ce qu'ils appellent des mantras. L'invocation qui, de toutes, est la plus mystérieuse, renferme le plus d'occulte pouvoir quand elle est formulée selon un rythme dont il faut avoir le secret, est celle-ci :

— Om, Mani, Padmé, Aum.

Comme je vous l'avais promis, je suis allé à Djokjokarta et j'y ai séjourné quelques jours. Le voyage est long et fatigant. Le chemin de fer qui doit réunir Djokjokarta à Samarang est encore en voie de construction. Les travaux que l'on est en train d'accomplir bouleversent ces paysages et leur donnent une physionomie différente de celle qui est décrite dans les cahiers de Rafaël Graaf.

J'avais plusieurs lettres de recommandation pour le résident hollandais de Djokjokarta. C'est un homme aimable mais simple, et peut-être un peu brutal. Il affecte de croire que le dompteur Rafaël Graaf est mort depuis longtemps et que tout ce que l'on dit de lui a un caractère légendaire.

— Un homme ne peut pas vivre à côté d'un tigre sans être dévoré par lui, m'a-t-il dit ; opinion sur laquelle je fis des réserves, puisqu'il s'agissait en cette occasion d'un dompteur et qu'il est avéré que certains hommes qui exercent cette profession possèdent une espèce de magnétisme qui réduit la volonté des animaux.

Le résident, comme je lui objectais cela, ne m'a pas caché combien il trouvait cette opinion absurde. C'était celle, a-t-il ajouté, d'Ali, le principal employé du dompteur. Et il me raconta les difficultés qu'il avait eues avec lui au sujet du rapatriement du personnel de la ménagerie et des recherches à entreprendre pour retrouver Rafaël Graaf, recherches pour lesquelles Ali voulait mobiliser toute la garnison de la résidence.

Il fut obligé de le faire expulser du territoire de Java, car il tombait dans des rages insensées toutes les fois qu'il entendait émettre l'hypothèse de la mort de son maître et il menaçait de son kriss ceux qui n'étaient pas de son avis. C'est Ali qui retrouva la deuxième partie du journal que vous avez en entier en votre possession.

— Ce fut une fameuse histoire que cette affaire de la ménagerie, m'a dit encore le résident, le jour où j'ai pris congé de lui. Je ne me place qu'au point de vue du chasseur, le seul intéressant. On peut tirer maintenant à Java un gibier qui n'existait pas auparavant. J'ai vu un zèbre galoper dans une plantation de café et un officier de la garnison a manqué dans la même journée un tapir qui se baignait dans la rivière et un animal qui courait sur deux pattes et n'appartenait à aucune espèce connue.

C'est alors qu'ont commencé mes tractations avec les gens des villages. Je vous fais grâce de toutes les difficultés que j'ai rencontrées. Les indigènes restent muets et détournent la tête dès que le mot Ganésa est prononcé devant eux. Ils se refusent unanimement à servir de guide à l'étranger qui veut explorer la région de Mérapi et de Merbarou. Les trois villages qui entouraient l'indigoterie de Monsieur Varoga sont presque complètement désertés. Les Javanais considèrent que le malheur est un être réel qui habite certains endroits où il se plaît plutôt que d'autres. Les événements qui se sont déroulés successivement il y a quelques années leur ont fait penser que le malheur avait élu domicile aux approches de la forêt de Mérapi. Ils estiment que le meilleur moyen pour l'écarter est de garder un silence absolu sur tout ce qui est relatif à l'homme qui vit avec le tigre.

Cet homme, le dompteur de Singapour, n'est aperçu que très rarement. Ceux qui l'ont vu de loin se sont enfuis avec épouvante. On sait qu'il habite la partie haute du mont Mérapi et qu'il ne descend presque jamais dans les vallées.

Je n'ai pu recueillir à son sujet que deux témoignages, mais ils sont probants. Les voici :

Une femme de la région du Merbarou prétend avoir vu l'homme et le tigre, dormant à côté l'un de l'autre, la tête de l'homme posée sur le mufle du tigre, comme sur un oreiller. Elle a gardé, paraît-il, de l'émotion causée par cette rencontre, un tremblement nerveux dont elle ne s'est pas débarrassée. Elle donne un détail assez curieux et qu'elle peut difficilement inventer. Elle a vu un singe gibbon suspendu à une branche, faisant, à côté de l'endroit où étaient les dormeurs, des exercices de trapèze dont elle aurait goûté le comique si l'effroi ne l'avait pas fait s'enfuir.

Un Malais qui portait un sac de farine à la lamaserie de Kobou Dalem s'est trouvé nez à nez sur un sentier avec le dompteur de Singapour. Le fameux tigre marchait à côté de lui. Quand le dompteur a aperçu le Malais, il a saisi la bête par la peau du cou, comme l'on fait à un chien que l'on sait méchant et il a fait signe au Malais de s'éloigner, ce que celui-ci a fait très rapidement.

J'ai interrogé le Malais sur l'aspect extérieur du dompteur.

Il m'a affirmé lui avoir vu sur l'épaule deux petits oiseaux appartenant à une espèce assez rare, celle des béos. Il riait et chantonnait doucement, en regardant les oiseaux et son visage reflétait la joie la plus paisible.

Peut-être celui qui a cherché la purification a-t-il trouvé en même temps le bonheur, dans la solitude des arbres, parmi les bêtes réconciliées.